a árvore oca

a árvore oca

MAURICIO VIEIRA

MOTOR

Elas são aquilo que fala
de partir mas nunca vai embora
ROBERT FROST

Sendo apenas homens,
nos adentramos nas árvores
DYLAN THOMAS

No sonho, o tronco das
árvores é sempre oco
GASTON BACHELARD

A Maria
e Miguel

Apresentação

O TEXTO narrativo de Mauricio Vieira impõe uma leitura dedicada. Ele capta em visualidade, sonoridade, tactibilidade, as relações de força gráfica e gestuais entre natureza, cultura, homem em três continentes. Este texto ao criar espaços que se afirmam na descontinuidade territorial dos afetos, dos sabores e dos dissabores, faz com que passa a constituir-se num contributo importante para o avanço do conhecimento daquilo que chamaríamos de composição de forças; vale conferir apenas uns pequenos exemplos; a relação tentacular entre as árvores, o simbolismo que encerram e as personagens que carregam esse simbolismo nas textualidades — as práticas, os comportamentos, a sensibilidade —, no caso: O Carvalho Branco, representado pelo Thomas, A *Welwitschia Mirabilis*, ou entre nós, o Tombwa, representada pela Marisol, O Baobá, ou entre nós, o Imbondeiro, representado pelo Eri. Estes personagens árvores abrigam em si a substância das narrativas presentes e constroem a idéia do pensamento vegetal, ou seja, para o caso, o estudo das plantas para a sua tradução na narrativa que faz o entrelaçamentos de afetos, formas e géneros. Daí, passamos a compreender que, as narrativas presentes, pertencem a uma cultura dos chamados "países do som" de ritmos saídos da relação boca/voz/paisagens.

Nesse texto isso está ilustrado nas viagens de Thomas e na relação afetiva entre Eri, Marisol, Thomas em que as palavras e os gestos se formaram como pegadas ou rastilhos das coisas sobre os ventos do deserto, das cidades, do mato, das ruas, nas areias, das cabanas, das pedras, das falas, dos cantos. Estes elementos marcam uma literatura de viagem e dos textos da memória nas paisagens disso ilustrativas; verifica-se, pois, a experiência literária de enredar crônicas e a mescla das múltiplas experiências das modalidades artísticas, desautorizando de modo ousado as concepções normativas do estético nos gêneros convencionais. A "árvore oca", frondosa, na espessura da sua sombra, atravessa-nos e vai aproximar o leitor com alguns de todos os nossos entrelaçados relatos; não cria entraves para a renovação do repertório teórico e crítico, a partir do que as sociedades em Angola nos doam pelas práticas e nas suas múltiplas relações. Ela retrabalha a unidade cultural ou geográfica num outro formato, um complexo conjunto de formas e gêneros, acentuando aí as marcas de tudo o que nos penetra nas notáveis implicações do imaginário: a pintura de Álvaro, as artes plásticas, o vinho, a Marisol que é em síntese o enredamento entre o mar e o Sol, ou aquela planta do deserto, a teatralização e a dramatização do confronto entre o imbondeiro e a welwitschia, a corrupção, o amor e os desejos carnais evidencia os encaixes, as dobras e a abertura de uma narrativa expandida e exemplar como peça de arte.

Abreu Paxe
Poeta e professor universitário angolano

1
O imbondeiro

MARISOL ERA miúda de longas tranças quando a guerra chegou ao Huambo, e da praça onde brincava somente restaram na memória as acácias floridas. Lembrava-se da mãe a chamando para dentro de casa, e o pai, dono de uma pequena farmácia, a oferecer rebuçados de menta embalados em papel celofane. Do pai recordava-se da testa alta, um bigode espesso e uns óculos de aro dourado, e de um sorriso farto, generoso, de dentes muito brancos. Cheirava a cânfora o pai, e a mãe, a canela. Segundo a tia, o pai vinha das florestas tropicais do norte, do Uíge, e a mãe, das montanhas do Lubango, ao sul. O homem do norte e a mulher do sul se encontraram no meio do caminho, no planalto central do Huambo. Ali nasceu Marisol, em dia chuvoso. Pelo mito criado pela tia para acalentar a miúda nas noites de tristeza, Marisol era o encontro das águas da Lagoa do Feitiço, beirando as florestas forradas de umidade e segredos perdidos, com o silvar do vento nas fendas da Tundavala entre as montanhas repletas de mistérios. Mesmo finda a guerra, nunca chegou a conhecer estes lugares que guardavam a origem de sua existência. Teria outros parentes? Não sabia. Foram muitos os desalojados, e quem pôde fugiu, para Luanda ou para os países fronteiriços como a Zâmbia e a Namíbia. Os pais foram condenados a ficar para sempre no local onde se conheceram, como monumentos em praça, mas antes enviaram a miúda a Luanda, à casa de Tia Solange. Passou a brincar num quintal cheio de sombras nos fundos da casa da tia no tradicional bairro da Maianga.

A tia, irmã do pai, era muito zelosa com a miúda, e não a deixava sair detrás dos portões de ferro já pouco mascarados de tinta azul para brincar com as outras meninas na rua. Marisol inspirava-se nos livros que a tia deixava de propósito ao redor da casa, como as pedrinhas de João e Maria, e inventava amigas para divertir-se, em histórias de aventureiros e exploradores, onde Kuroca, o cão de sua tia, era o farejador de tesouros enterrados por marujos caolhos da perna de pau. A tia Solange detestava que chamassem seu cão de rafeiro, ou vira-latas no linguajar tupiniquim. Era o Kuroca, pura e simplesmente. Respeito aos cães, seres muito inteligentes, e mais cordiais e leais do que a maioria dos seres humanos. A menina dava risadas e quando sozinha com Kuroca, levantava sua orelhinha rafeira e cochichava para dentro, meu rafeirozito. O cão parecia gostar de ser o companheiro de Marisol, pois ela não o importunava com banhos, e dava-lhe de comer escondido coisas que a tia proibia.

Não que houvesse fartura na casa, muito pelo contrário, mas Marisol não suportava ver aquele cãozito olhando para ela a comer sendo que nunca havia alimento apropriado para ele nas lojas. Geralmente estas mal tinham o que fornecer aos que as frequentavam nos tempos da guerra. Eram tempos de escassez, onde uma grade de refrigerantes, ou “gasosa” no idioma local, valia uma passagem de avião para Portugal. O termo “gasosa”, com esta conotação de algo valioso, também passou a significar qualquer emolumento extraoficial, solicitado amigavelmente ou não, sobretudo por membros de órgãos oficiais, para facilitar coisas que nem sempre deveriam ser facilitadas, ou pelo contrário, permitir coisas que já o eram, apesar das circunstâncias as tornarem mais difíceis.

Marisol ia à escola sempre levada à mão pela tia, que era professora no colégio Kwame Nkruma. Marisol brincava sozinha na sala de aula, pois as outras meninas, na hora do recreio, deixavam de ser camaradas para serem apenas meninas. Destacava-se sempre entre os primeiros da turma, e teve sorte de ter a tia Solange a olhar por si, pois os demais alunos eram muitas vezes, para poderem passar de ano, sujeitos ao famoso pedágio, a gasosa na nomenclatura da pedagogia. As professoras tinham que incrementar o salário de alguma forma. Tia Solange, no entanto, recusava-se a praticar este tipo de ação, mas pouco podia fazer para impedir as demais camaradas. Também não se via no direito de julgá-las. Sabe-se lá o que tinham que enfrentar na vida.

O país recém-independente se proclamava socialista e se alinhava com as demais repúblicas populares, como Cuba, a Coreia do Norte, a União Soviética e os países que esta detinha por trás da Cortina de Ferro. Todos eram camaradas, e tal qual Mao, o poeta e guerrilheiro Agostinho Neto assumiu o poder. Um câncer operado em Moscou encerrou sua vida, e desde 1979 o líder da nação vinha sendo José Eduardo dos Santos. A guerra, no entanto, não havia acabado. Tornou-se interna, entre grupos políticos e etnias distintas, disputando a integridade do território de Angola, delineado pela Coroa Portuguesa durante o jugo colonial. Angola, de forma similar a países que em todos os continentes sofreram colonização, era uma coleção de zonas étnicas costurada em um território unificado para o usufruto do colonizador. Os comandantes militares do MPLA eram respeitados pela população do norte, alinhada com o partido nem tanto pela ideologia socialista quanto pela etnia. Dentre esses líderes estava o general Makarov, sendo este seu nome de guerra, tendo-o obtido nos estudos em Moscou. Liderou com notável estratégia divisões de tanques nos mais devastadores conflitos travados durante a guerra civil.

Quando o regime anterior e suas instituições são lembranças de repressão, um país novo, sem instituições burocráticas em sua tradição, é feito sobretudo de homens. As novas instituições viriam depois dos homens e através deles. Era preciso primeiro que os homens fortalecessem a nação. Com o fim da guerra, estes homens assumiram posições de destaque no governo, pois eram figuras respeitadas. Frequentemente eram convocados para assumirem cargos públicos. Makarov fora governador de províncias e chefiara um ministério com largo orçamento e de caráter estratégico.

Em África, cujas sociedades possuem forte caráter tribal, o homem pode ter mais do que uma mulher. Makarov, homem alto e de olhos que pareciam ler os pensamentos alheios, multiplicou sua prole, dentro e fora dos matrimônios. No útero, um de seus filhos enforcou seu irmão gêmeo. Deu a ele o nome de Eri. Era alto como o pai, e tinha os olhos meio cerrados da mãe, uma descendente da realeza da guerreira tribo Jaga. O pai quis que frequentasse a escola pública como todos os outros miúdos de sua idade, para aprender os conceitos então incutidos na população, e que absorvera em Moscou. Eri passou a cursar o colégio Kwame Nkruma.

Marisol ainda se espantava como lhe passou despercebido o dia em que se conheceram, mas o fato é que em poucos anos a amizade quase fraternal entre os dois tornou-se algo que Marisol não conseguia descrever, e que por Eri era descrito como o encontro de almas gêmeas. Ela não conhecia outros rapazes, e nem poderia, pois todos temiam Eri. Ele fazia questão de que seu motorista a trouxesse e levasse para casa. De início a tia Solange não gostou de que outra pessoa compartilhasse a proteção da miúda, mas por fim aceitou, pois não queria problemas com o camarada Makarov.

Aos finais de tarde, quando tocava o sino anunciando o encerramento da aula, Marisol recolhia livros, lápis de cor e cadernos, e organizava tudo na mochila da Bela Adormecida, presente de Eri pelos seus dez anos. Eri havia viajado à Disney World nas férias de verão e insistido em trazer presentes para Marisol. Encheu-a de bichos de pelúcia, e de camisetas do Mickey e da Minnie. Durante a guerra, para grande parte da população, ir ao exterior, ou mesmo a um país fronteiriço, era o mesmo que ir a Marte. Mal se podia circular dentro de Angola. Havia bloqueios nas saídas de Luanda. Marisol ficava sem jeito recebendo tantos presentes, ainda mais oriundos de um mundo tão alheio à sua realidade, mas para quem tinha tão pouco, nem mesmo os pais, aquilo ia se tornando uma forma de enxergar um pouco mais além do que o dia seguinte.

Ela não deixava de estudar, pois o fazia com prazer, mas sobretudo porque tinha consciência de que se com estudos teria pouco, sem eles nada teria. Eri ignorava os cadernos, sabedor de que não poderia ser contrariado. Ao final do ano as professoras veriam seus parcos salários reforçados por generosos cabazes amparados por um bolo-rei, uma garrafa de sidra, algumas frutas, nozes, tudo embalado em cesto de vime sobre lâmina de madeira em formato de ninho, evocando o presépio. Dava-se ao Natal um mínimo de dignidade. Isto era um alento naqueles anos, quando as filas estavam sempre cheias de gente e as prateleiras quase sempre vazias. Uma das diferenças mais palpáveis entre os países de capital livre e os de planejamento central é a carência de opções em produtos e serviços nestes, em proporção inversa à profusão de frases de ordem e aos discursos riquíssimos em retórica que alimentam este tipo de governo.

Marisol não entendia por que Eri a fitava de forma tão intensa, nem por que ele nunca pedia nada em troca, a não ser sua companhia. Mandava trazerem-lhe roupas de Portugal sempre que algum parente lá fosse. Nada queria para si. Tudo era para sua Marisol, sua alma gêmea. Todos que os conheciam imaginavam um casamento fabuloso ao fim dos estudos, com carruagem, caminho coberto por pétalas de rosas, a noiva chegando de helicóptero, e outros quesitos que tanto eram essenciais nas bodas retratadas pelas revistas. Parecia que os namoradinhos de infância tomariam o próximo passo ao terminarem os estudos, ou nem isso. Muitas miúdas invejavam a grande sorte de Marisol. Não só era bonita, e dava-se bem com os livros, como também havia conquistado um filho de general. Elas ainda teriam chances, pois os angolanos nunca se contentavam com uma só. No entanto, apesar do carinho e dos presentes de Eri para Marisol, havia ali algo que Marisol descrevia como similar ao medo. Havia sim a proteção, as roupas, as boleias de casa para a escola e desta para a casa. Havia no entanto o não poder se corresponder com outros rapazes, nem mesmo para conversar. Em algum lugar estaria Eri a observar, fazendo com que Marisol o visse e se afastasse do incauto. Ela então se aproximaria dele, sem dizer palavra, viraria-se de costas para que este pudesse soltar e refazer suas tranças, ele que era muito bom com os laços.

Marisol por fim deixou de ser miúda, e as tranças também ficaram na memória. Angola encerrou seus conflitos internos e se consolidou entre os principais produtores de petróleo em África. O país então vivia a euforia do fim da guerra civil que durara quase trinta anos, desde a independência em 1975 até 2002. As forças do governo do MPLA haviam localizado e aniquilado Jonas Savimbi, o líder da principal facção rival, a UNITA, que durante a Guerra Fria resistira com a ajuda americana e sul-africana, e ao fim, já sem amigos, com a venda de diamantes. Makarov almejava grandes destinos para o seu preferido. Orientou-o a estudar geologia em Londres para se preparar para uma carreira no mais importante setor em Angola, a exploração petrolífera, e não negou ao filho a exigência de levar consigo a bela Marisol, sua alma gêmea. Ela teria capacidade para ser aceita em universidades bastante seletivas, mas não precisou tentar. Viu-se vivendo algo que estava além do que imaginara para si. Deixou a tia, que enxugou a tristeza num lenço ao se despedir da sobrinha já moça. Ainda lembrava de suas tranças baloiçando enquanto corria pelo quintal atrás do Kuroca. Sim, afinal era mesmo um rafeiro, mas com mais pedigree do que muitos homens que se achavam nobres. No aeroporto Quatro de Fevereiro, Marisol entrou no Boeing 747 da TAAG, para fazer escala em Lisboa e seguir dali a Londres. Antes do avião decolar, Eri segurou a mão de Marisol com força, como se fosse ela a levantar voo e a deixar sua alma gêmea no solo. O avião assentou sobre as nuvens, e Eri descansou. Dormiu com a mão untada de loção na suave mão de Marisol, que tentava ler um livro sobre Winston Churchill com a única mão livre que lhe restava, não ousando acordar seu protetor.

Ficou fascinada com aquele jovem corajoso, idealista, que se arriscou em diversas frentes de batalha após a morte do pai, Lord Randolph Churchill. Participou de batalhas na Índia, no Sudão, e na África do Sul, sempre como oficial ou jornalista, e seus artigos e livros o fizeram um jovem afluente, alçando seu nome entre os círculos dos lordes e ministros. Quão atual uma frase proferida por ele em 1897, "a civilização está face a face contra o islamismo militante." Enfrentou, no entanto, algumas das suas maiores batalhas na House of Commons, onde ingressou como Conservador, partido de seu pai, mas logo migrou para o lado Liberal, pois tinha visão humanista sobre a forma de governar o Império e seus povos, tornando-se inimigo dos *tories* por grande parte de sua carreira política. Ainda jovem foi dos primeiros a defender os direitos dos trabalhadores, da redução das penas aos criminosos, e em breve já fazia parte do *Cabinet*, tudo isso ainda antes da Primeira Guerra. Quando perdeu o cargo, culpado injustamente pelo desastre de Gallipoli por seus inimigos políticos, foi servir no *Front* Ocidental, arriscando a vida nas trincheiras da Grande Guerra.

A maturidade e as posições proféticas contra o militarismo de Hitler o trouxeram de volta ao rebanho conservador, enquanto seus pares liberais se recusavam a ver o óbvio. Após vencer a guerra contra o totalitarismo, escreveria ainda livros importantes sobre a história dos povos britânicos e sobre a Segunda Guerra, trabalhos que lhe iriam conferir o Prêmio Nobel de Literatura. Graças a seu talento literário e à sua bravura, seus livros e as palestras a eles relacionadas sempre o sustentaram. Não precisou fazer como grande parte dos homens públicos que se utilizam do cargo para fins além do bem público. Queria apenas servir seu país. Marisol não se recordava de nenhum político atual como Churchill, com a visão, o idealismo, e a capacidade de vencer os vãos entre os diferentes interesses para defender o seu povo. Concluiu o livro e resolveu dormir, recostando-se contra o assento do lado oposto a Eri, que se inclinava contra o ombro dela e sussurrava um ronco.

Quando acordou, não se deparou com o tenaz jovem político com quem havia sonhado, e tampouco com o buldogue de olhar lânguido do Winston Churchill já velho, mas sim com Eri, que a fitava de uma maneira conhecida e que ainda assim a amedrontava. Achava um tanto estranho despertar tendo os olhos de Eri fixos em si, por vezes com uma lágrima a cair-lhe dos olhos. Indagou como seria agora que estariam a sós em Londres, sem a tia Solange. Ela tinha sim carinho por ele, por tudo que havia feito por ela, e nunca a ter maltratado. Era um protetor, e num país com a história de Angola, ter um protetor era ter tudo. Ele nunca levantou a voz contra ela e tampouco a mão. E, no entanto, perturbava-a a ideia de que teriam uma convivência assídua, talvez até forçada. Será que Eri havia dado a Marisol esta grande oportunidade de poder estudar fora, algo que estava totalmente além de suas possibilidades financeiras, com intenções que até então não havia esboçado? Veria afinal as reais intenções de Eri e não aquilo que estava cansada de ver em público, sabedora que havia coisas dissonantes por trás? Marisol, naquele momento em que acordou com Eri a observá-la, sentiu algo que beirava o arrependimento em ter aceito o convite. Entretanto, quando Eri disse que iriam a Londres estudar Petróleos, e que preparasse suas malas, não o expressou com a possibilidade de que Marisol pudesse escolher.

Petróleos eram o futuro, ele afirmou, e uma mulher inteligente como ela teria um futuro brilhante em Angola com esta formação. Ela logo tentou focar somente naquilo que ouviu, no futuro brilhante, e na possibilidade de estudar no exterior, sobretudo no Reino Unido, um lugar que há tanto havia sonhado em conhecer. A ideia de estudar fora de Angola lhe era completamente improvável. Já se via como uma professora, tal e qual a Tia Solange, terminando os estudos na Universidade Agostinho Neto, e logo a seguir lecionando para as novas gerações, que não conheceriam a guerra, que viveriam num país em paz, cheios de esperança. Não via nada de errado nisto. Não lhe incomodava salário, tampouco as dificuldades. Mas não lhe foi dada a escolha deste caminho. Iria a Londres, iria estudar Petróleos, ou Geologia para ser mais exata, termo que Eri nunca proferiu durante os anos em que lá estiveram, pois soava-lhe como algo insignificante, e ele lá estava para estudar Petróleos.

Ao aterrissarem, Eri finalmente largou sua mão. Foi como desabrochar a fivela de uma sapatilha muito apertada. Lá fora, era Londres, ou quase, pois ainda estavam em Heathrow, mas já se via a civilização britânica nas placas, nos táxis pretos, nos vermelhos autocarros de dois andares, e nos uniformes e chapéus dos policiais. Quis sair sozinha, apanhar o trem, depois o metrô, caminhar pelas ruas, expressar-se em inglês e ouvir o sotaque dos britânicos. Porém havia uma Rolls Royce à espera dos dois. Makarov não queria que seu filho passasse dificuldades no exterior, e cedeu-lhe a estrutura que possuía, incluso o apartamento em Kensington, o *chauffeur*, os seguranças, os criados, e a viatura, branca como o mármore que se alastrava pelo piso e pelas paredes do apartamento. Era preciso que soubessem que o filho de Makarov não passava apuros no exterior. Havia quartos de sobra. Marisol poderia escolher onde ficar. Eri sentiu-se magnânimo dando a Marisol tamanha escolha. Poderia decidir-se por qualquer quarto, desde que fosse no apartamento em Kensington. Marisol ainda teve a esperança de que o Imperial College fosse distante do apartamento. Assim poderia ter argumentos para se alojar nas instalações dos estudantes, para ficar perto do centro acadêmico e da biblioteca. Entretanto levavam cinco minutos a pé desde o apartamento, trajeto que Eri se recusava a caminhar, exigindo percorrê-lo no banco de trás da viatura, que em breve os colegas apelidaram de Great White.

Em Londres, vestia-se de forma impecável, como um *dandy*, sempre com ternos feitos sob medida dos melhores tecidos e gravata ao estilo dos homens da City, roxa com o nó Windsor que ele não abria mão de usar. Ficava à frente do espelho se admirando ao realizar os passos que resultavam naquela gorda pirâmide invertida. Deu para usar bengalas, mas um olhar de Marisol, sem qualquer maldade, reminiscente dos tempos da escola, quando ria de algo engraçado que ele dizia, o fez interromper o hábito, mas somente quando estava a seu lado. Em suas caminhadas por Chelsea ou Mayfair, sempre seguido a alguns passos por dois ou três fiéis escudeiros por seu pai enviados para manter a integridade física e moral de seu *dauphin*, ele montava-se em cavalheiro, acreditando ser um legítimo Sir ou *Knight*, oriundo de um reino distante para mostrar aos ingleses o que era a verdadeira elegância, com sua bengala de marfim e *bowler ha*t todo preto. Por vezes crianças o paravam para pedir autógrafos, crentes que estavam diante de um autêntico *rapper* americano. Eri não se importava, e estava sempre com seu cartão de visitas pronto no bolso do paletó, assim como o passaporte diplomático e um maço de notas de libras esterlinas, dólares, euros e kwanzas presas por um clip de prata.

Na universidade todos o tratavam por Hakim, em referência ao personagem da comédia de Eddie Murphy, e por isso ele investia ainda mais em casacos da Burberry e sapatos italianos, sem falar nos sacos de couro da Louis Vuitton. Eri passava o tempo comprando mimos para Marisol, incluso uma câmera fotográfica. Ela adorava tirar fotos das ruas limpas e organizadas, ornadas de camadas de códigos subentendidos pela maioria dos que ali transitavam. Marisol poderia ficar para sempre entre os ingleses que a cumprimentavam e discretamente a cortejavam, indo ao Soho e ao Mayfair para jantar, assistir a um filme de cinema independente, comprar bugigangas e cogumelos para sopa em Notting Hill, passar uma tarde de sol no Regents Park fazendo um *picnic* e jogando *frisbee* com os colegas de classe, e se perder nos caminhos do Kew Gardens entre os aromas e as variações de tons sazonais nas árvores.

Dava-se bem com os colegas, e pela primeira vez começou a ter amigos. Poucos eram os que não se afeiçoavam àquela moça negra que ao chegar com seus cabelos e seus olhos e seus lábios raramente despertava indiferença. Marisol não sabia como se comportar. Estava adorando a atenção que recebia, sobretudo dos rapazes, ingleses, indianos, chineses, paquistaneses, nigerianos, e poderiam conversar sobre uma ampla gama de assuntos, o preferido sendo sempre comida. Como gostavam de falar sobre culinária, sobretudo os indianos e os nigerianos.

Entretanto via claramente como isto afetava Eri. Talvez não fosse assim que ele imaginara a estadia dos dois em Londres. Viviam sob o mesmo teto, mas Marisol refugiava-se na biblioteca ou então no centro acadêmico. Aprofundava-se na matéria, indo além do que os professores exigiam. Preferia chegar bem tarde à casa, pois assim Eri estaria fora, preferindo frequentar os locais que rapidamente elegeu com o auxílio de seu *staff*; seu restaurante, seu bar, sua discoteca, e sua casa de moças. Muitas vezes, qual manhã gélida, Marisol estaria de saída para a faculdade e se deparava com um Eri um tanto atrapalhado com a chave na porta.

Mas sim, Marisol entendia que haviam limites para as liberdades que conquistara. Era uma espécie de *détente*. Ao fim dos estudos, na volta a Luanda, não seria assim, tinha total certeza. Tentava não pensar no dia em que teria que retornar, no entanto sentia falta da Tia Solange, e se preocupava com ela. Não lhe pareceu bem, da última vez que com ela falou ao telefone. Queria tanto poder trazê-la para Londres. Tinha certeza que passaria todos os dias enfurnada no British Museum, a murmurar, "Imperialistas", "Assassinos", "Ladrões", "Piratas", a cada vez que se deparassem com os Mármores do Parthenon, as tumbas de faraós, e a Pedra da Roseta, mas, no fundo, sentindo prazer de ver em primeira mão tantos monumentos à história da humanidade, que se tivessem permanecido em seus locais de origem, grandes eram as chances de que teriam desaparecido.

Eri por vezes a irritava, com sua falta de tato, seus trejeitos excessivamente afetados, e sua ignorância do idioma inglês. Como poderia frequentar uma universidade na Inglaterra se mal sabia falar a língua? Havia coisas que ela não poderia entender, mas quem era ela para questioná-las? Ela era apenas a Marisol, órfã de pais, cuja tia Solange lecionava no colégio e liceu Kwame Nkruma, e que em breve estaria aposentada, vivendo daquilo que o governo se lembrava de depositar na conta da camarada que tanto zelara pela educação dos camaradinhas.

Marisol se agarrava com afinco ao futuro que lhe era oferecido por Eri, apesar de já saber que haveria um custo em algum momento de sua vida que lhe seria imputado. Se fosse casamento, Marisol estaria disposta a aceitar. Tinha lá seu afeto por Eri, e tinha certeza que aprenderia a amá-lo da forma como os cônjuges o fazem. Mas Eri nunca tocava no assunto. Perguntavam-na se Eri era seu irmão, seu primo, seu namorado ou mesmo seu marido. Ela apenas dizia que era um grande amigo. Ficava sem jeito quando algum rapaz do grupo de amigos a convidava para comer *dim sum* no Soho. Respondia que adoraria mas tinha que estudar para as provas iminentes. *Right, I see. Sorry, maybe next time*, era o que diziam, sorridentes, tentando esconder o que lhes vinha à tona, um sentimento que ela não merecia perceber. Viam nos olhos da moça algo que contrariava suas palavras. Viam uma fresta de seus sentimentos, contradizendo o que viam em público. Marisol tentava não dar brechas para este tipo de convite, sempre tentando ser mais uma no grupo, não se vestindo de formas com que chamasse atenção, ou dizendo coisas muito inteligentes, diferente do que as outras moças faziam, sobretudo as inglesas, sempre se expressando de forma convicta sobre seus ideais e abusando de decotes e minissaias. Eram não raro elas que faziam os convites aos colegas estrangeiros, sobretudo os africanos e aqueles do subcontinente indiano. Entretanto estavam todos secretamente apaixonados por ela, mesmo quando saíam com Sally ou Molly ou Maggie. Quando estavam no escuro com estas, viam somente Marisol. Havia um rapaz, no entanto, em quem os olhos de Marisol se demoravam um pouco mais. Ele parecia não notar, discreto que era, de modos econômicos e olhos quase femininos pela leve curva que faziam os cílios. Era Jamil, um paquistanês, dos melhores alunos do curso, sendo exímio matemático. Tentava sem sucesso mas com enorme convicção explicar as regras do críquete a todos os estrangeiros que não os da Commonwealth, fazendo até Marisol, indiferente que era aos esportes em geral, concentrar-se na fala de Jamil. Era admirado por todas as moças do grupo. Num outro universo Marisol teria dado a entender que Jamil poderia se aproximar para falarem sobre algo mais do que de restaurantes e culinária e críquete e debaterem qual seria o melhor parque para se fazer um picnic em Londres. Mas Jamil cansou-se de esperar que o olhar de Marisol se demorasse no dele, e acabou por iniciar um relacionamento com Emma, uma escocesa de fartos seios, convicta vegetariana, que ocultava as sardas com vastas camadas de base escura.

O grupo um dia resolveu que queria ver uma peça de Shakespeare, o inglês que diziam os ingleses ser o maior de todos os dramaturgos. Fizeram as reservas no Globe Theatre, local onde o bardo tanto atuou como depois se tornou um dos proprietários. A peça seria *Hamlet*. Henry, um nigeriano com um rosto e um *timing* perfeitos para a troça, fazia dentro do carro do metrô papel do príncipe para o grupo à caminho do teatro, gerando risadas a cada vez que entoava a célebre frase, Ser ou não ser, eis a questão. Algumas pessoas conheciam um pouco mais das obras de Shakespeare, como Romeu e Julieta, ou Júlio César, pois as haviam estudado no liceu, mas Marisol ficou um pouco tímida pois o pouco que conhecia se resumia a frases soltas.

Quando descobriu que seu assento era bem ao lado do de Jamil, não desgostou, porém Emma tratou de pousar sua mão sobre a perna do rapaz e de passeá-la para baixo e para cima, tentando não deixar que a atenção dele se desviasse para o lado oposto. Com o apagar das luzes, esqueceu Jamil e a mão da escocesa, esqueceu Henry que aparentemente resolveu sentar-se ao seu outro lado propositalmente, e esqueceu Eri. Era raro esquecer Eri, mas ela ali conseguiu. O idioma era um tanto obtuso, um inglês com muitos obséquios e acessórios, como a vestimenta da época, mas era possível seguir a trama. Henry aparentemente sentiu-se frustrado por não receber sua atenção, e não aprenderia mais nenhuma frase célebre da peça, pois no meio do primeiro ato dormitava com um leve silvar na respiração. Marisol nem mesmo se incomodou. Aquilo que se passava no palco era maravilhoso. Nunca havia visto nada igual. Gostou do bobo da corte, Yorick, e com Ofélia, se irritou. Quis ver mais peças de Shakespeare. A próxima a passar seria *As You Like It*. Desta vez sentou-se na ponta, ao lado da indiana Puja, que parecia já ter lido a peça, pois dava a entender que sabia o desfecho de cada cena e o que ocorreria depois. Para Marisol, a peça foi bonita, não tanto quanto Hamlet, mas uma fala em particular a marcou. Um dos personagens declamou que o mundo todo era um palco, e em determinadas fases da vida cada um de nós atuava com um papel distinto, de acordo com a idade. Queria muito acreditar naquilo, mas perguntou-se se Shakespeare não estava sendo desonesto, pois ele era não só um dono de teatro e dramaturgo, com também ator, que sabia não só o que se passava no palco como também nos bastidores. Sua vida não era somente um palco, pois havia sempre alguém nos bastidores a decidir qual papel ela teria. Puja olhou para ela estarrecida quando a viu chorar.

"Mas isto é comédia, Marisol. Por que você chora?"

Marisol pediu desculpas, e desconversou.

Puja achou a angolana totalmente despreparada para Shakespeare, e concentrou-se em lembrar de cada diálogo e cada cena, como fazia desde pequena.

Eri, quando via que Marisol estava muito ligada ao grupo de amigos, decidia levá-la a restaurantes caros. Adorava lugares assim, pois davam-lhe a oportunidade de trajar seus ternos bem cortados em algodão e lã, o pescoço coberto por lenço de seda em carmesim. Numa das vezes que solicitou a companhia de Marisol, comprou-a um vestido Chanel, e também uma bolsa. Marisol sempre se impressionava com a capacidade de Eri em conhecer seu tamanho para roupas. Foram ao restaurante de um célebre *chef* que apresentava um programa de culinária na televisão. Apontou ao vinho mais caro da carta. Marisol observava constrangida aquele costume de Eri nunca se dirigir verbalmente aos serviçais, ou tão somente para os castigar, algo que seu pai lhe incutiu na educação quando menino. As mulheres não deveriam mostrar seus dentes, e os homens seus pensamentos. Ele simplesmente apontava o que queria para comer e beber, enquanto Marisol transmitia suas ordens ao *waiter*, que a tudo acompanhava um pouco consternado com a atitude do cavalheiro.

"Romanée-Conti, 1945, please."

"Yes madam, that is a splendid choice."

Eri irritava-se com Marisol por ter sido educada com o garçom, que não estava fazendo mais do que sua obrigação, e era pago para os atender. Marisol somente acenava sua concordância com um leve olhar de subserviência, e guiava a conversa para temas amenos como a chuva em Londres, os estudos, os exames, e as notícias de Luanda. Eri sorveu do vinho com grande solenidade, para então observar que da última vez que estivera em Lisboa provou dum Pera Manca ainda melhor no Gambrinus.

"Era de se chorar. Estes vinhos franceses são muito famosos mas a fama não é tudo. E na nossa fazenda no Kwanza Sul, estamos a fazer um vinho que vai ser ainda melhor. Trouxemos um enólogo da tuga, o gajo é fantástico. Vais provar e comprovar."

Marisol ria dos gracejos de Eri, feliz de ter conseguido manter a conversa em temas leves e amenos, sem necessitar se desculpar por alguma coisa que havia feito e o trazido desgosto, ou reprovação. Quando o famoso *chef*, jovial apesar das rugas ao redor dos olhos, e seguro de si pelos milhões que já havia arrecadado com seu programa e com os restaurantes que possuía ao redor do mundo, andou entre as mesas, sua fama e sua aura de simpatia impediam a maioria dos clientes de dizerem aquilo que realmente pensavam acerca dos pratos, invariavelmente aclamando o macarrão com creme de abacate e o risoto de camarão como experiências sem paralelo. Ao se aproximar da mesa de Marisol e de Eri, o *chef* reparou no requinte dos trajes do cavalheiro e fez alguma brincadeira no tom ao qual estava acostumado, com um pouco de malícia mas dentro dos limites, despertando sorrisos nas mesas mais próximas. Quando perguntou sobre a codorniz ao molho de uvas verdes de Marisol e o lombo de javali com maçãs caramelizadas de Eri, Marisol não foi diferente dos outros clientes e satisfez o ego do *chef*. *It was wonderful.* O *chef* sorriu para a bela mulher e a agradeceu pelo elogio. Saciado, já iria deixar a mesa, pois o elogio daquela moça linda e elegante era o bastante, mas Eri o segurou no antebraço. Mirou direto nos olhos do grande *chef* e disse, no inglês que lhe bastava, *Not good enough.*

O coração do *chef* parou de bater por um segundo. A comida entalou na boca dos ouvintes mais próximos. A seguir o *chef* soltou uma gostosa gargalhada e deu tapinhas nas costas de Eri, dizendo, *Good One, Good One!* Eri irritou-se ao ser tocado, mas um olhar de Marisol suplicando para que pudessem terminar a refeição em paz o fez aceitar a situação e continuar a comer. Mas ali não voltaria. Preferia o arroz de pato de sua mãe.

"Este carro, que achas?" Eri perguntou, ao ver uma Bentley deslizar frente a eles quando estavam na calçada esperando o motorista do Rolls Royce.

"Nada mal," Marisol respondeu.

"Pensei em levar uma para Luanda. Não seria divino, minha alma gêmea?"

Marisol pensava nas notícias de casa. Sua tia muito doente, e nenhum parente para a ajudar. O hospital Maria Pia sempre cheio, pacientes agonizando no chão, e a tia a recusar as remessas de dinheiro que Marisol fazia para poder ir a uma clínica particular, dizendo que os camaradas iam aos hospitais públicos como todos os demais cidadãos.

Ao passo que a guerra civil se prolongou, foi se apagando, como as frases pintadas nos muros das cidades, promovendo os ideais da sociedade proletária, a decência promovida pelo comunismo, que incitava todos a serem camaradas, e que nos primeiros anos realmente trouxe alento à carência por todos sentida. Por fim, a paz chegou, e com ela, a economia de mercado, onde não era mais possível a aura de camaradagem. Em todo o caso, o povo de Luanda já há muito convivia com um outro tipo de guerra, já acostumado, sob o sol forte do paralelo nove abaixo do Equador, a transitar pelas avenidas Comandante Che Guevara, Lenine, e a rua Friedrich Engels, enfrentando filas e carregando as poucas coisas frescas da feira de legumes do Kinaxixi. A guerra arruinara a agricultura que outrora fora pujante. Uma criança adoentava-se, havia que a levar a tomar colherada de xarope no mercado, pois farmácia não havia. Vacinas eram trazidas pelas missões das madres que acorriam nos hospitais da capital. Para ganhar a noite cheiroso, havia que se passar no mercado para comprar essência de perfume à borrifadas, pois perfumaria não havia. Comia-se carapau e bananas, arroz e peixe espada, o famoso cinturão da FAPLA. Duas grades de gasosa e dava-se a volta ao mundo de avião.

Eri por seu lado relatava as novidades da Luanda à qual estava louco para voltar, onde seu pai havia enviado uma divisão de buldôzers para derrubar um assentamento de chapas de zinco num terreno para a construção de edifícios por uma construtora chinesa. Em meio aos casebres habitavam os velhos baobás milenares, estes sim os verdadeiros donos da terra, que a todas as ocupações resistiram, desde o primeiro influxo de bantos em terras de khoisans, às incursões dos sucessores de Diogo Cão e Paulo Dias de Novais face aos guerreiros do Ndongo e o Reino do Congo, os embates entre portugueses, holandeses e a Rainha Ginga, ao violento conflito entre portugueses e angolanos pela independência, e à guerra civil. Frente à divisão de buldôzers de Makarov, os imbondeiros viramse rapidamente vencidos.

“Queres um apartamento ali, Marisol? Não sei se esses chineses vão lá fazer grande coisa que preste, mas já é alguma coisa. Podes alugar, gera-te alguma renda. E aquela tua tia, por que não a instalas ali? Como anda a Tia Ângela?"

"Anda um pouco adoentada a Tia Solange".

"Mando já o Docas à casa dela. Leva-a direto à clínica do meu pai na Ilha. É grave?"

"Não sei. Ela não me quis dar muitos detalhes. Não quer que eu fique preocupada para não atrapalhar os estudos."

"Os estudos tu tiras de letra, estudas por ti e por mim e ainda te sobra."

"Eri, és um fofo."

"Não. Eu sou só o Eri. Em mim tu podes confiar, minha alma gêmea."

Era a frase de Eri, desde sempre. Não pôde se lembrar quantas vezes a ouviu ao longo dos meses e anos que se seguiram.

Para Marisol, pareceram apenas meses, mas os anos de fato se passaram e o curso terminou. Ela concluiu com as mais altas honras, e se viu convidada para continuar os estudos no Imperial College e também lhe ofereceram vaga para um mestrado em Cambridge. Eri apenas seguiu as formalidades. Estava pronto para Luanda. Terminados os estudos, despediram-se da Londres dos tempos estudantis com uma festa organizada por Eri no apartamento da família em Kensington, convidando todos os colegas mais próximos de Marisol mas não discriminando os que apareceram sem convite. Contratou garçons e a equipe daquele mesmo *chef* a quem havia dito *Not good enough*. À entrada do apartamento, lá estava ele, ereto, em seu terno branco, lenço de seda amarelo no bolso, brancos sapatos de couro envernizados, chapéu coco branco, e bengala preta de ébano, a cumprimentar todos que entravam, alguns incautos surpresos com a simpatia daquele mordomo tão garboso.

Marisol viu-se induzida a usar um casaco de peles e um colar de pérolas comprados por Eri especialmente para a ocasião. Olhava-se no espelho que cumprimentava os convidados ao final do hall da entrada e não se reconhecia. Reconhecia somente a tal alma gêmea de Eri. Tentava de todo jeito esconder a aliança que pela manhã Eri sacara de uma caixinha preta de veludo e incumbiu ao seu anelar direito de ostentar. Evitava tirar a mão do bolso, principalmente quando passava perto de Jamil, seu corpo delicado vestido por um terninho de linho cinza claro, e que parecia um tanto comovido com a partida de Marisol. A escocesa, usando um jeans e um pulôver vermelho que realçava seus atributos, não desgrudava dele. Ele olhava para Marisol do outro lado da sala, e sorria, enquanto a escocesa segurava o braço dele e conversava com uma amiga e dividia com ela e mais um grupo de formação aleatória um cigarro de maconha salpicado de cocaína.

Em meio ao caviar, às taças de Don Perignon 1985 e os canapés de *foie gras* com geleia de menta, aquela figura de branco impunha-se sem esforço, observando aqueles ingleses tão informais em seus trapos. Pareciam ir a uma festa cigana. Sua Marisol, entretanto, estava elegante, discreta, divina. Já os via na casa do Mussulo aos fins de semana, a passear no Caotinha, seu iate, e depois comer lagostas grelhadas com um bom vinho verde da quinta de Setúbal. Aquilo sim era vida, longe daquelas pessoas que confundiam sua Marisol com ideias desnecessárias, pessoas que poderiam magoar sua flor, sua *Welwitschia mirabilis*.

A volta a Luanda foi motivo de grande felicidade para Eri, que viu sua Bentley o esperando na saída do aeroporto Quatro de Fevereiro, uma memória viva de seus tempos de South Kensington agora a circular pelas ruas de Luanda. Marisol sentia-se mal dentro daquele veículo de cujas janelas ela observava mulheres com bebês embrulhados às costas caminhando com grandes bacias de carapau à cabeça, e outras varrendo com vassouras de palha a poeira vermelha que era o solo verdadeiro daquela terra, o solo que insistia em se mostrar ao verniz urbano sem piedade, pois não seria com vassouras de palha que ele seria vencido.

Graças a Eri, Marisol logo obteve uma posição na Sonangol, a estatal dos petróleos, afinal vendo-se obrigada a declinar um cargo oferecido pela empresa estrangeira que os havia patrocinado em Londres.

O trabalho a consumia, mas ela parecia não se importar. Concentrava-se cada vez mais nas funções e não tinha hora para voltar à casa. Era até melhor, pois assim não apanhava o trânsito que escorria feito melaço pela cidade. Era como nos tempos do Imperial College, quando passava horas na biblioteca em companhia dos livros, e todo o resto parecia desaparecer. Ela não era Marisol, não vinha de Angola, não havia perdido os pais, não vivera com a tia Solange, e nunca havia cruzado com aquele que se chamava Eri. Era apenas um cérebro no vácuo que procurava entender fórmulas e cálculos estruturais e os moldar a contratos com fornecedores.

Da primeira vez que foi convidada para uma conferência de petróleos, Eri ofereceu-se para ir junto, mas seu pai exigiu sua presença em um evento local. Foi a primeira vez que sua Marisol viajou para fora do país sem seu protetor. Assim que o avião levantou voo ela olhou à sua volta e teve a certeza de que a bordo estaria pelo menos um dos galhos do imbondeiro.

O baobá, ou imbondeiro entre os angolanos, é uma árvore de tronco largo e oco, cinza e enrugado feito a pele de um elefante. Este tronco é um maravilhoso reservatório d'água, tendo capacidade para até cem mil litros. Os Kissamas, bravos guerreiros de terras beirando a costa ao sul de Luanda, sempre que emboscavam os portugueses, saíam mato adentro vazando os troncos dos imbondeiros, para que os seus inimigos morressem de sede. Sua casca é medicinal. Endógeno em África, é a árvore símbolo de Madagascar e do Senegal. Se os há no Brasil é graças aos escravos que levaram consigo suas pequeninas sementes para plantarem esta árvore que é tida como divindade.

Aqui findam as similaridades entre os imbondeiros. Marisol conhecia o segredo de um deles, que o destacava dos demais. Era como o conto do pequeno príncipe; o imbondeiro era uma ameaça. Os galhos partem grossos do tronco feito os membros do paquiderme, mas vão se estreitando, como que advertidos pelo tronco de que a estrela do conjunto é apenas uma. Suas folhas portanto nem se dão ao trabalho de formarem copas robustas, e caem no tempo seco, o que passa pelo inverno em África. Parece que está de cabeça para baixo, e que sua copa é composta por raízes. Não é a toa que a chamam de árvore ao contrário. À fruta, que chamam de múcua, o tronco permite um ligeiro destaque, pois o causa lembranças dos guizos e chocalhos da infância, e dela se faz um doce ideal para ser consumido gelado, como a vingança. Suas flores possuem o aroma de carne decomposta.

Sem anéis em seu tronco para contar o passar dos anos, o imbondeiro ignora o tempo e vive para sempre, engolindo toda a água ao seu redor, escondendo o sol e projetando sua sombra por sobre os campos, gramas e savanas. A sombra deste imbondeiro se espalhava por onde Marisol fosse. Fosse em Baku, no Rio de Janeiro ou em Houston, frequentes locais de conferências de petróleos, Marisol sabia que ali estaria a penumbra do imbondeiro. Ela poderia correr para onde fosse, mas a sombra já estaria à sua espera. Isto até o dia em que conheceu Thomas na Cidade do Cabo e por um breve momento, uma fenda se abriu na sombra.

2
O carvalho branco

DO ALTO do carvalho branco, no cume da colina, todo o vinhedo ele via, em suave declive voltado para o sul, os retalhos de granito, as fileiras das videiras encobrindo o solo xistoso, e a grande casa de pedra. Em zona de transição entre o clima do Mediterrâneo e o temperado, próximo ao paralelo quarenta e cinco, a vegetação na vinícola expressava esta geografia de mescla de identidades. Do lado de baixo dominavam a azinheira e o zimbro, e ao norte, firmavam-se a urze, o giesteiro e o freixo. No cimo do monte, de onde Thomas tudo avistava, reinava seu castelo e galeão, o carvalho branco. Com o crescimento das uvas, a paisagem ganhava pigmentos azulados e roxos, tal como numa tela de Seurat. Ao fim do outono, chegada a vindima, dezenas de pessoas encheriam seus cestos para deixar então os ramos das videiras cobertos somente por suas folhas. Estas então cairiam, e um manto de húmus cobriria os troncos das plantas, que dormiriam aquecidas para despertarem na primavera.

Assim passavam-se as estações, ao passo que Thomas ia crescendo. Salvo algum imprevisto, como um verão muito quente, ou um outono por demasiado chuvoso, na vinícola tudo ocorria dentro de uma sucessão de eventos quase mecânica, como as engrenagens de um minucioso relógio. Contornado em grafite sobreposto em manchas de guache dourado, aquele carvalho branco, que diziam alguns dos mais exaltados ser do tempo dos druidas gauleses, era o símbolo que todos os rótulos brandiam nas garrafas de Château K.

Para Thomas, o carvalho era apenas uma das poucas árvores com galhos o suficiente para brincar de castelo e de navio nas tardes depois da escola. De cima da árvore o menino observava as nuvens que surgiam, carregadas da umidade do Mediterrâneo. Quando ao fundo do vale estalava um trovão, o pai já gritava para Thomas descer dali, ou ficaria aquela noite sem o seu chocolate quente. As noites eram frias na casa de pedra de janelas altas rodeada de vinhedos, e o chocolate quente o faria falta.

Ao passo que a tempestade progredia, o menino assistia dos galhos o pai e o avô serem forçados a interromper uma deliciosa e acalorada conversa sobre o vinho da safra e a contragosto recolherem a mesa. Como um dançarino libertino, o vento afoito levantava em diversos flancos a toalha branca bordada em algodão, presente de casamento dos avós aos pais. Charles, o pai, lançava-se zeloso em direção à garrafa da safra, uma das melhores dos últimos anos. Rumo ao solo, de um galho do carvalho ao outro Thomas saltava, enquanto as nuvens se separavam daquilo que as materializara, que seria absorvido pelas plantas.

À medida que sua cota permitida de vinho foi aumentando, Thomas passou a subir menos no carvalho branco e permanecer por mais tempo à volta da longa mesa coberta de garrafas, fatias de Comté, Morbier, Tomme de Savoie, mel trufado, uvas, e um coelho ou cordeiro assado sobre uma travessa de barro. Também passou a se preocupar com o vento que conspirava com a toalha de mesa para reverter à terra o que os homens haviam extraído das uvas. Ainda guardavam nos almoços de domingo do início da primavera até o fim do outono um lugar à mesa sob o carvalho para a mãe que já não mais ali se sentaria, como fizera até algumas safras atrás. Thomas ainda aguardou a chegada iminente da mãe à mesa durante mais algumas safras, mas depois apenas fez como os mais velhos, reservando simbolicamente aquele lugar à mesa para alguém que ali não mais se sentaria, e de quem raras memórias havia conservado.

Naquele dia, o carvalho branco ainda era o mesmo, mas o menino já havia se tornado um homem, pois já não mais o galgava com pernas e braços e com o coração, apenas com a mente, olhando, cada vez menos, os galhos se desdobrando em sua dança misteriosa de folhas e visgo com o vento. O desenho do carvalho branco no rótulo da garrafa do Château K, emoldurado em ouro como os raios de sol sobre uma nuvem, havia se tornado para Thomas mais presente em sua vida do que a própria árvore que lhe havia servido de molde.

A casa era agora somente compartilhada entre Thomas e Max, seu cão bernese. Por vezes Thomas pensava que era Max o dono da casa, da forma como entrava e se apropriava da sala, da cozinha, e de sua cama, deixando as marcas de suas patas cheias de resíduos do solo xistoso do vinhedo. Thomas resmungava que deitar-se na cama era quase como ir deitar-se entre as videiras. Ele por ventura recebia a visita de uma ou outra amiga dos tempos do liceu, a maioria agora vivendo em Paris. Como grande parte dos jovens franceses com alguma ambição, mesclada de vaidade e um tanto de masoquismo, ainda deixavam as cidades de província para se espremerem na capital, apesar de que, cada vez mais, agora partiam não para Paris, e sim para a dinâmica Londres ou à boa e velha América, sempre aberta aos negócios. As amigas descobriam Thomas em alguma rede social, através de algum grupo que reunia colegas do liceu. Recordando-se daqueles olhos azuis, um tanto tristes, e da cabeleira espessa e negra, convidavam-se para viver um romance de fim de semana no Château K.

Chegavam na sexta-feira à noite com o Paris-Lyon. Thomas as aguardava na estação com a sua Mercedes, que ele havia comprado depois de vender o velho Citroën Traction Avant do avô a um colecionador americano. Se surpreendiam com a mudança que havia ocorrido com os cabelos, agora acinzentados, como a pele de um lobo. Os olhos continuavam azuis e tristes. De sábado para domingo, após um magro café da manhã, elas afagavam aquele cão tão simpático e se despediam de Thomas com um frio abraço. Não haveria almoço de domingo sob o carvalho branco. Recusavam a carona à estação de trem naquele carro tão burguês que não condizia com a imagem que faziam de uma vinícola. Certa vez, uma delas, vendo a fotografia do avô de Thomas frente ao Citroën, disse que preferia aquele homem baixinho sob uma boina e sobre um enorme bigode um igualmente enorme nariz, ao homem atualmente à frente do Château. Thomas não se penitenciava com esta atitude um tanto frequente entre suas visitantes, e até se retirou do grupo do liceu na rede social para evitar mais constrangimentos. Era melhor, pois aquilo só o distraía de coisas mais importantes.

Aquela casa de dois pavimentos talhada em blocos de calcário, erguida sobre um levemente acentuado maciço de granito, como grande parte da região à volta do Rhône, reunia as memórias de seu pai, seu avô, e das gerações que os antecederam. Também foi a casa que abrigou sua mãe, Agnes, que fora professora de francês no liceu do aldeamento mais próximo e poeta de talento promissor. Dividiam uma longa estante de tijolos vermelhos os livros de literatura da mãe, fotografias da família, honrarias e medalhas ganhas pelas safras especiais, e sobre o fogão a lenha ainda estava a chaleira azul de sua mãe, ela que não era exatamente uma apreciadora de vinho. Preferia o chá, e sonhara algum dia poder visitar a província de Yunnan, no sudoeste da China, para observar as folhinhas verdes que cresciam nas colinas se abrirem na água quente, embeber aquela alquimia e assim absorver a grandiosidade das montanhas.

Já o pai era homem prático que lia não os livros e sim nas nuvens o clima. Sabia exatamente qual retalho do vinhedo precisava disto ou daquilo para enriquecer o *terroir*. Era ele mesmo, em companhia do filho e do ajudante Romain quem podava os cachos irregulares, a mão separando os bagos dos engaços. Provando as uvas durante a vindima, escolhia as que fariam o vinho, utilizando-se de frutas em diferentes etapas de maturação. Naquela que era conhecida por ser uma terra de vinhos duros, ácidos, deixava as hastes nos cachos, para produzir vinhos com forte tanino e menos acidez. Depois, era na adega que fazia as experiências de aprimoramento do vinho, promovendo a conversa entre as diferentes uvas, como um maestro. Já velho demais para caminhar entre as uvas, o avô ajudava com alegria e muita opinião nesta parte da feitura do vinho. Não estavam nas pretensões de Charles expandir o tamanho do vinhedo, nem se tivesse os recursos para tal. Era sua vida, manhãs frias andando entre as vinhas observando o orvalho sobre suas uvas, e no final de tarde se recolhendo à adega para intuir o vinho da safra. O retorno era exatamente este, o Château K, em seu rótulo o carvalho branco que vigiava o vinhedo como um farol ao mar. Não pensava em globalização, em vender para o americano ou para o chinês, em ampliar seu mercado. Que comprassem, se quisessem, mas não faria nada além daquilo que sempre fez, o que seus anteriores sempre fizeram, para criar o vinho seu de cada ano. Queria o Château K reconhecido na região, selecionado por grandes restaurantes em Lyon e quem sabe até Paris. Isto lhe bastava.

Fora Agnes quem legara a Thomas os cabelos escuros e os olhos claros, mas Charles havia transmitido a Thomas o nariz com uma sensibilidade de cão farejador. Tal como o pai, Thomas se considerava um homem prático. De fato se julgava um tanto mais, por ter ido à América estudar o negócio do vinho. Ele acreditava que este conhecimento era essencial num mundo cada vez mais globalizado, no qual era preciso ser agressivo para poder sobreviver. Thomas pertencia a seu tempo, e seu tempo era o tempo do dinheiro. Se Agnes lera literatura, e Charles os céus para desvendar o clima no porvir, Thomas lia através da internet os jornais onde o dinheiro era a notícia. Após ler artigos que aclamavam a trajetória de sucesso de certos empresários, divertia-se intuindo a verdadeira história de cada um, os deslizes morais, a hipocrisia e a ganância que realmente os alçaram à fortuna. Deleitava-o quando estalava algum escândalo envolvendo tais cavalheiros antes tão glorificados naquelas páginas. Dizia para si mesmo, eu já sabia, eu já sabia. Não que, dada a oportunidade, agiria de forma distinta. Apenas tiveram o azar de serem descobertos. Outros continuavam a praticar atos semelhantes ou piores mas ainda eram tidos como nobres cavalheiros em artigos fartamente edificantes sobre as virtudes da livre iniciativa.

Thomas tinha grandes planos para o Château K. Queria-o entre os vinhos de renome, cobiçado por clientes de alto poder aquisitivo; vinhos que se beneficiaram com o aumento da riqueza em países como a China, o Brasil e a Rússia, para atrair uma nova classe de consumidores de vinho, que queriam beber status, e estavam dispostos a pagar por isso. Thomas pretendia elevar o nome do Château K ao nível desses grandes vinhos. Estava disposto a seguir pelos caminhos que raramente eram enunciados naqueles jornais tão discretos. Estes vinhos famosos não se preocupavam com seus preços, podendo multiplicá-los, e de fato, assim o fizeram. Os novos clientes, sobretudo chineses, não reclamavam. Eram vinhos consumidos em mais de cem países, e portanto imunes a qualquer crise econômica e livres das pressões de mercado. Thomas estava cansado das exigências das redes distribuidoras para abaixar o preço do Château K, sendo tratado como apenas mais um viticultor desesperado. Uma recusa significaria ser excluído da lista de fornecedores sem qualquer cerimônia; não havia o entendimento de outrora entre *negociant* e viticultor; centenas de outras vinícolas estavam prontas para suplantar o Château K.

Para usar uma analogia cara a si, o vinho de Thomas era um Peugeot, e ele queria alçá-lo a uma Bentley. Bem sabia que para isso teria que obter vastos recursos. O princípio de tudo era recuperar os vinhedos, para produzir mais, e assim deixar de ter de comprar uvas de terceiros. A seguir, realizaria um profundo estudo dos diferentes tipos de solo, mapear as vinhas por suas idades, e as variações de insolação e vento em cada área da vinícola com a compra de dados da NASA. Trataria de reorientar as vinhas para reduzir o impacto de sol e vento, e assim atenuar os açúcares que elevavam o teor de álcool, cada vez maior devido ao aquecimento global. Então passaria por uma melhoria nas técnicas de corte e também de vinificação, com uma nova sala de fermentação. Tudo ali era tão velho e antiquado! Queria atualizar a marca e introduzir uma nova, mescla de diversas das melhores safras, usando somente as vinhas mais antigas. Daria destaque às vinhas de trinta e cinco e quarenta anos, chamadas de Balzaquianas por Charles; estas estavam perdidas entre vinhas mais novas devido à desorganização que se acumulou com o tempo. Cada marca seria vinificada em separado, com novos tonéis e barricas de carvalho.

Esta parte não seria nada fácil, pois exigia grandes investimentos. Para imprimir sua visão sobre o Château K, era preciso aquilo que os americanos diziam com tanta sutileza: *money money money*. Entretanto, após todo o trabalho no campo e na vinícola, o mais importante ainda estava por vir: convencer um enólogo famoso a prestar consultoria. O segredo do sucesso estava com esses enólogos que transformavam vinhos corretos e tradicionais em *superstars* internacionais, adaptando-os ao gosto dos principais críticos, que por sua vez influenciavam os clientes ávidos pelos grandes vinhos. Somente assim, com a magia da fama, que ajuda a vender qualquer produto, teria um grande vinho. Não mais teria de se importar com os problemas mundanos que enfrentavam os vinhos anônimos.

Ainda se surpreendia com a falta de amplitude comercial do pai. Os tempos haviam mudado e Charles não havia conseguido acompanhar a transição. As contas estavam todas atrasadas. Charles dizia que no tempo dele todos deixavam as contas para depois e ao final tudo dava certo. Ele dizia que no tempo do bisavô, o vinho muitas vezes nem era vendido, e sim ofertado aos grandes mercadores em troca de mantimentos, material de construção, adubo, ou então aos políticos e ao clero da região, em troca das bem-vindas benesses terrenas e etéreas. Os tempos haviam mudado, e também com eles os cobradores. Como foi possível o Château K sobreviver durante tantos anos com este total descaso com os princípios básicos de entrada e saída de caixa, faturamento, lucro e uma robusta estratégia de marketing?

Assim que regressara da Califórnia, Thomas se viu tendo de lidar com a doença já avançada do pai, que a cada dia perdia mais consciência de si e do que havia à sua volta, e também com os árduos trabalhos na vinícola. A sua mente fervilhava com ideias quando chegou, mas teve que deixar tudo aquilo de lado para enfrentar a enfermidade do pai e a realidade de uma vinícola em franca decadência. Renegociou as dívidas com os bancos, e solicitou mais apoio do governo provincial, pois a agricultura, e sobretudo o vinho, eram prioritários para a França. Iniciou contatos com grandes distribuidores nos Estados Unidos e na China. Mas tudo aquilo não seria o suficiente para a sobrevivência do Château K, quanto menos para o destacar dos demais vinhos e torná-lo famoso.

Thomas se lembrava de seu pai e de seu avô contando histórias sobre uma ou outra nevasca fora de época, ou um verão mais longo ou mais curto do que o habitual, comprometendo a safra. Por vezes não; em alguns anos, os vinhos ganhavam nuances inesperadas. A memória de Charles era pautada por anos que geravam vinhos inusitados; para o iniciante ou covarde eram intragáveis, mas para o degustador corajoso e de coração amplo, eram desafiadores. Ele não se incomodava em estar à mercê do clima, pois em anos de sorte, isso poderia dar ao vinho notas além do alcance de seu conhecimento. Eram as "mãos de Deus", dizia, ele que desde o casamento não havia voltado a pisar no interior de uma igreja. Eram safras díspares, mas mesmo assim amadas, quase como filhos. Thomas tinha muitos irmãos vinhos, alguns deles celebrados e ganhadores de medalhas, outros já nem tanto.

Aos finais de tarde, o trabalho no campo já feito, enquanto a terra esfriava, Charles se isolava na adega para provar os vinhos. Com Thomas não se preocupava. Esperava que o filho encontrasse seu próprio rumo, mas claro, sempre voltando à vinícola, para seguir o caminho que todos os seus haviam trilhado. Era o único que havia. Ficou muito surpreso e consternado quando o filho lhe disse que partiria para a América para estudar. Tudo o que havia para aprender estava ao redor de si. Não acreditava que fosse possível produzir bons vinhos muito além das fronteiras da França. Talvez os vinhos italianos fossem bebíveis. Mas vinhos de Califórnia, Austrália, Chile, Argentina, ele achava que eram modismos para americanos que nada sabiam de vinho. O que sabiam os críticos? Por que as pessoas tinham que seguir o gosto dos críticos? Por acaso não haviam sido agraciadas com o dom natural do palato e do olfato? O champanhe americano era a Coca-Cola, gostava de dizer ao filho nos almoços de domingo à sombra do carvalho branco. Pareceu-lhe uma forma de contestação de sua sabedoria, normal entre os jovens. O que iria aprender na América que não aprenderia ali mesmo no Château K? A vender vinhos? Seu filho não era negociant, o feitio dos quais Charles bem conhecia, em seus trejeitos e discursos. Charles bem esperava que um dia o filho visse a verdade, que a confrontasse, sem medo. Ele esperava estar vivo para poder o acolher de braços abertos, já conhecedor de si, e pronto para assumir o Château K. Não teve a oportunidade de por isto à prova, pois quando o filho voltou, Charles já não mais era conhecedor de si mesmo. Orgulho e altivez foram moídos num processo que fez de seu cérebro um mosto estranho, irrigado por um vinho produzido com a água do esquecimento.

Thomas havia estudado o suficiente na UC Davis para saber que era sim possível tornar seu vinho mais nobre, sem esperar pela "mão de Deus", com as modernas tecnologias à disposição de quem estivesse apto a pagar por isso. Entretanto, no momento ele mal podia com as contas atrasadas. Teria que começar com o que tinha a seu dispor. Ficou impressionado com o que ocorria nos leilões de vinhos em Hong Kong. Seria aos chineses, que pagavam valores estratosféricos, quebrando simplesmente todos os recordes de preços, que tentaria vender seu vinho. Talvez tivesse sorte com seu Peugeot em meio aos Bentleys. Afinal, não haviam os chineses se tornado acionistas da própria Peugeot recentemente? Porventura, dentre os quase um bilhão e meio de habitantes, encontrasse um investidor disposto a bancar a grande reviravolta que pretendia em sua vinícola.

Antes de viajar para Hong Kong, esperou que não houvesse mais chuvas como as dos dias anteriores, pois isso poderia arruinar mais uma safra. Após uma sequência de anos de seca, a "mão de Deus", que tanto seu pai apreciara, estava um pouco úmida demais este ano, e carregada de raios. Deixando as tarefas cotidianas do vinhedo a cargo de Romain, que já estava a serviço da família há duas gerações, talvez tempo demais, Thomas rumou para o Oriente, para iniciar a venda de Château K.

A China havia enriquecido de forma vertiginosa em trinta anos, e uma nova classe de vasta riqueza queria exibir provas de seu sucesso a seus pares e ao mundo. Em acirrados leilões na ilha cantonesa, exauriam os estoques dos grandes vinhos, sobretudo em suas safras excepcionais. Nos sóbrios arranha-céus espremidos entre a baía de Hong Kong e a colina verde do Victoria Peak, aqueles que souberam aproveitar o crescimento da economia de mercado na China, com a anuência ou parceria dos líderes da nação, demonstravam todo seu poder e audácia, elevando os preços dos lotes de vinhos a patamares jamais atingidos no Ocidente. Os vinhos, principalmente os franceses, e em especial os grandes nomes de Bordeaux, estavam entre os maiores símbolos de status, e os chineses, após décadas de economia planejada, não hesitavam em pagar o preço que fosse necessário para exibir esta prova irrefutável de suas conquistas. Um certo château fazia tanto sucesso que até gravou em suas garrafas o algarismo oito, o favorito dos supersticiosos chineses. Caixas era guardadas em adegas feitas para o armazenamento *ad infinitum*, por colecionadores que não tinham a intenção de sequer degustar aquilo que haviam adquirido por tão alto valor, e sim aguardar a valorização ainda maior do tesouro vermelho. Entre os políticos e homens de negócios chineses era comum uma boa garrafa trocar de mãos para subentender coisas indizíveis sob a ótica da moral comunista que ainda orientava as relações na sociedade chinesa.

Thomas queria comercializar o seu vinho naquele ambiente, entre os clássicos. Fez contatos com a Câmara de Comércio e Indústria de França e Hong Kong e conseguiu colocar um lote à venda em um dos leilões. Sem ilusões, sabia que seria um trabalho a longo prazo até conseguir convencer os chineses de que seu vinho era bom. Mesmo se não vendesse grandes quantidades, a preços absurdos, haveria gente de paladar o suficiente para apreciar um vinho equilibrado, feito com uvas Grenache e Syrah, Carignan, Mourvèdre e Marsilan, oriundo do *terroir* distinto do paralelo quarenta e cinco, de solo granítico, sob as sombras dos Alpes e salpicado pela umidade do Rhône. Não era possível que num país com quase um bilhão e meio de habitantes não houvesse mercado para um Côtes du Rhône como o dele.

O leilão ocorreu de forma muito célere. A leiloeira falava com a velocidade de um narrador de corridas de cavalo, e com suas luvas brancas em mãos pequeníssimas, tais as de um jóquei, graciosamente indicava o lote, como se vendesse mobília Louis XV ou quadros do Impressionismo. Em questão de segundos, os vinhos eram arrematados por algum agressivo bilionário interessado em agregar mais um lote à sua coleção já abarrotada de Pauillacs e Péssac-Leognans, ou indiretamente, por meio de um representante orientado a não deixar o leilão sem um lote em específico. Alguns mantinham seus braços levantados desde o início da oferta do lote em questão, apesar dos lances alheios, até que por fim se tornassem os felizes proprietários de mais uma caixa do lote almejado.

Quando chegou a vez do Château K ser oferecido, Thomas percorreu a sala com os olhos, aguardando algum interessado. O leiloeiro anunciou seu produto e a região como se estivesse falando de um vinho que havia sido produzido numa distante lua de Saturno. Côtes du Rhône era pronunciado de uma forma que talvez soasse perfeitamente agradável para alguém nativo ao idioma cantonês. Segundos se passaram após o anúncio do lote de Thomas. As mãos permaneceram imóveis, aguardando a oferta do próximo lote para voltarem à atividade. Então, uma jovem executiva na Câmara de Comércio levantou discretamente seu pulso. Isto despertou um leve interesse da parte de um punhado de curiosos. O representante do Sr. X fez um lance, rapidamente sobreposto pelo representante do Sr. Y, que foi prontamente ultrapassado pelo representante do Sr. Z. Pareceu a Thomas que o gosto pela competição, e sobretudo por vencer, importou mais do que o lote sendo disputado. Dou-lhe uma, dou-lhe duas, dou-lhe três, vendido para o cavalheiro representando o Sr. Z. Não foi uma grande disputa por um valioso lote de um renomado Bordeaux 1945, 1961, 1982 ou 2009, cujas garrafas por sinal pareciam se multiplicar de acordo com a demanda, muito além do que havia sido realmente produzido. Mas tudo isto estava dentro das expectativas de Thomas. Era um começo, e os começos eram sempre difíceis. Iria voltar todos os anos, para que os Senhores X, Y e Z em pessoa deixassem suas mãos levantadas, até um deles arrematar uma caixa de Château K por uma soma exorbitante.

Depois de uma breve escala em Pequim para conhecer a Cidade Proibida, foi com alívio que se viu no voo Air France de volta a Paris, respirando o ar a bordo, deixando para longe aquele *arpocalipse*. O avião penetrou as camadas de nuvens e Thomas ficou sem saber quais eram as nuvens naturais e quais simplesmente fumaça das chaminés, uma muralha celeste que impedia a vista de sua célebre homônima terrestre. No ar rarefeito da cabine, começou a pensar sobre a vinícola. Era hora de procurar um novo *branding* para seu produto. Talvez algo voltado ao gosto chinês, para se conectarem com mais facilidade ao produto. Era preciso fazer um *website*, abrir contas nas redes sociais, e incluir a vinícola nos aplicativos de mapas. Para os clientes chineses, reproduzir estas medidas nas plataformas equivalentes, já que na China eram bloqueadas as ocidentais. Queria a visita de milhares de chineses todos os dias do ano. Já via grupos de chineses saindo bêbados da vinícola com caixas e caixas do Château K, e bonequinhos de plástico do mascote que ainda iria criar para dar ainda mais personalidade e fortalecer o *branding* da vinícola. Seus vizinhos iriam ficar horrorizados, mas ele havia aprendido as lições com os americanos. Era assim que se fazia, e depois todos o iriam admirar e imitar. Ele seria o pioneiro do novo vinho na França. Se antes viam os vinhos da Califórnia com desprezo, hoje estavam presentes em todos os rankings do mundo; com o seu vinho não seria diferente. *Terroir* do velho mundo, marketing do novo mundo. Vinho plebeu tornando-se vinho capitalista para os novos bem-sucedidos do mundo. Certamente precisava trabalhar seus slogans de campanha um pouco mais.

Sobre as ondulações das colinas surgiram as faixas verdes dos vinhedos intercaladas às marrons do solo rico em calcário, as manchas púrpura de lavanda, dignas dos milhares de cartões postais retratando a região, e o espectro de fragrâncias, desde o floral, adocicado e por vezes enjoativo, passando pelo húmus e suas notas minerais, até a franqueza do esterco. A presença marcante era o Rhône, fluindo seguro de seu leito e direção, levando sedimentos desde os Alpes Suíços pelo profundo interior da França até desembocar no azul Mediterrâneo, próximo da Arles onde Van Gogh imortalizou em tela suas águas estreladas.

Thomas respirou fundo quando viu as águas onde velejara com seu pai no esguio laser. Aprendera com Charles a cuidar do leme, da quilha, a distribuir o peso, e interpretar o vento, para orçar, cambar, e atentar que repentinamente este vento poderia alterar de direção, trazendo a retranca contra sua cabeça. Thomas aprendeu de árdua forma aquela lição. O pai também o ensinou a revirar o barco. Era simples. Bastava subir na quilha e puxar o barco para si. Charles pretendia que Thomas entendesse que assim era com a vida, para que Thomas não tivesse medo caso o barco um dia tombasse. Bastaria revirar. Não poderia antever o quanto Thomas havia assimilado dessa lição.

O vento agora parecia também pronto para dar suas lições, carregando chuva em época de seca, época que deveria preparar para a última maturação da uva até a vindima. Desta vez não era possível se desviar da retranca, pois ela vinha na forma de nuvens negras e pesadas. Bons tempos aqueles em que o vento somente trazia a retranca contra sua cabeça e levantava a toalha da mesa sob o carvalho branco para fazer tombar as garrafas da safra. Eis que surgia vinda do vale uma outra tempestade, ventos soprando nuvens avivadas pela eletricidade. De dentro da casa de pedra de janelas altas, construída no século dezoito pelo antepassado fundador da herdade, Thomas e seu cão assistiam da janela um espetáculo que havia se convidado à paisagem, parecendo uma multidão cometendo nas ruas atos gratuitos de vandalismo. O pai e o avô já não mais ali estavam para recolher a garrafa da mesa e transferir a discussão sobre o vinho para dentro da casa de pedra. A mesa estava vazia sob a intensa chuva.

As nuvens pairavam como castelos flutuantes, lembrando a tela de Magritte, e o vento matreiro sacudia as folhas das vinhas deixando entrever suas canelas. Observava incrédulo e com toda a sua atenção aquela demonstração da força do clima, que ganhava uma assiduidade inquietante. Não havia em sua lembrança a marca de igual tempestade. O calor tampouco era habitual nessa escala. Os últimos anos foram de grande calor e seca, mas nesse o clima havia superado seus gestos habituais. Nunca em sua vida Thomas havia presenciado tempestades tão violentas em tão curto espaço de tempo. Custava acreditar no que se passava do lado de fora da casa de pedra.

Em meio a tempestade, por uma fração de segundo, o carvalho branco se estendeu até o céu, seu tronco branco atingindo as nuvens, seus galhos se retorcendo pelo ar sobre o vale. Os deuses costumam punir aqueles que ousam tocar seu reduto, e mesmo aquela árvore, que tantas tempestades ao longo de séculos havia desafiado, agora nada mais era do que um gigantesco e fumegante pedaço de carvão. Enquanto Max latia como que para um intruso que já havia se retirado e extraído o que desejara, Thomas fitava de dentro de casa o carvalho enegrecido, correndo com a mente as lembranças daquela árvore, exalando e abrigando vida, do tempo que ainda a galgava com o coração a disparar. Sem cessar Max latia, ganindo com o estrondo do granizo que agora se chocava contra as telhas de terracota.

Por fim a tempestade foi perdendo sua intensidade. Ao tentar abrir a porta, Thomas forçou-a contra um feixe de granizo que lentamente se decompunha. O para-brisas do carro havia sido golpeado por uma pedra de granizo. Andou até a borda do vinhedo, depois se embrenhou de aleia em aleia para ver o estrago causado pela tempestade. As solas das botas grunhiam em contato com o solo. O que viu não o animou.

Deixou Romain aferindo os estragos, e pegou o carro, mesmo com o vidro partido, para ver como estavam as propriedades de seus vizinhos. Não estavam em boas condições financeiras para aguentar a perda, pois as safras anteriores também haviam sido comprometidas. As diversas tempestades do último ano, somadas às fortes secas dos anos anteriores, estavam devastando os pequenos produtores. Eram em grande parte viticultores com poucos hectares que vendiam suas colheitas para as cooperativas. As vinícolas então compravam destas para fazerem seus vinhos. Os mais afortunados venderam suas terras, e muitos ainda ansiavam por fazer o mesmo, pois seus filhos não pretendiam assumir o negócio, e este tampouco mostrava-se rentável.

Lá estava Bernard Sagnier, da vinícola Sagnier, seis gerações de tradição, e provavelmente não haveria uma sétima. Sorvia a chuva da boina molhada com os dentes pequeninos e espaçados à mostra, enquanto sua esposa colocava cuidadosamente um esparadrapo sobre sua cabeça, alvejada por um projétil de granizo. Thomas estava preocupado, mas o velho Bernard parecia em choque. Ele nunca havia visto nada igual. Tudo o que podia dizer naquele momento era *Catastrophe*! Depois diria muito mais na reunião emergencial de viticultores e representantes governamentais da região, solicitando ajuda financeira do governo provincial pela colossal perda.

Thomas lia nos jornais que o governo norte-americano calculava em bilhões de dólares as perdas anuais previstas com as alterações climáticas, isto só nos Estados Unidos. Seria possível que em França estaria ocorrendo algo similar? A França nem emitia tanto dióxido de carbono assim, pois sua matriz energética era em grande parte nuclear. Entretanto os carros usavam muito diesel, o que deixava Paris sob uma névoa desagradável durante muitos dias do ano. Mas no campo não havia tantos carros nem fábricas. O problema em França não era o efeito estufa, acreditava Thomas. Eram os pesticidas usados na agricultura, inclusive na sua vinícola, despejando nitratos que depois seriam absorvidos pelos rios e lençóis freáticos, desembocando no mar e causando, a cada ano com mais força, o desembarque de algas verdes na costa, como vinha acontecendo da Bretanha à Normandia; eram um exército que a cada ano lançava suas divisões para subjugar a costa. Algum dia conseguiriam. Estes compostos químicos também provocavam sérios danos aos insetos como as abelhas, e também aos humanos, que sofriam perturbações a nível endocrinológico.

Mas o que fazer? Qual seria a solução? Deixar de usar os pesticidas e fertilizantes? E se a safra falhasse? Os viticultores que só usavam métodos tradicionais, cujos vinhos agora eram chamados de orgânicos como estratégia de marketing, estavam sujeitos a muitas incertezas. Era o preço a pagar para assegurar a safra. Não havia escolha. Não seria ele a se arriscar. Seu avô iniciou o uso dos produtos químicos, como tantos naquela época. Ganhavam descontos dos fornecedores, e viram suas safras se multiplicarem em rendimento. A produção aumentou, ficou mais fácil gerir o cultivo, mais barato, com menos perdas; a qualidade da uva também melhorou, e os ganhos também. Não fazia parte de seus planos alterar as bases daquela equação.

Thomas, cujas feições possuíam quesitos que costumavam atrair as telespectadoras, foi escolhido por uma jovem repórter para dar entrevista para o jornal noturno da região, e seu registro, um tanto intenso, circulou nos noticiários televisivos e recebeu até breve menção no caderno Planète do *Le Monde*, sempre atento ao tema ambiental e às mudanças climáticas. Não era Hamlet, mas expressava o que todos na região sentiam. Sem as uvas, sem os vinhedos, que sentido lhes restava da vida? A entrevistadora ficou olhando para os lábios de Thomas, como que absorvendo a força daquelas palavras, depois o agradeceu com um olhar preocupado, balbuciando "merci monsieur" em *diminuendo* e abaixando seu microfone. O câmera focava nos vinhedos devastados.

Durante a noite, sem poder dormir, e abraçado a Max, Thomas começou a explorar suas opções. Vender as terras e regressar aos Estados Unidos, sendo mais um francês de talento a deixar a pátria da *egalité* para o país da oportunidade e cada vez mais desigualdade? Procurar um investidor para comprar o Château K e trabalhar sem ser proprietário, apenas como enólogo, sofrendo a vergonha de ser o primeiro dos seus a trabalhar para terceiros, na terra em que nasceram tantas gerações? Esperar a ajuda do governo provincial para replantar as vinhas danificadas, recuperar o solo, e esperar que esse clima insano não se repetisse nos demais anos, algo que lhe parecia improvável?

Pela manhã, enquanto jogava uma bola de borracha contra a parede de pedra da casa para Max a trazer em suas mandíbulas, Thomas explorava cada opção, mas nenhuma fazia sentido naquele momento. Não queria tomar uma decisão precipitada. Era hora, talvez, de espairecer, se distanciar, viajar para um local remoto, onde não se sentisse pressionado, para estudar as ideias com mais calma e clareza.

Recordou-se de um amigo enólogo sul-africano que havia estudado com ele na UC Davis, Jan den Brok, que de forma insistente o convidava para ir visitá-lo. Jan havia regressado a Stellenboch, perto da Cidade do Cabo, para trabalhar na vinícola de sua família. Thomas havia visto algumas fotos da propriedade de Jan, da famosa cidade e de seu cabo de nome contemplativo, Boa Esperança, porém na realidade de feitio traiçoeiro, onde Bartolomeu Dias se deparou com o fim do continente africano. Jan também falava das garotas sul-africanas, bonitas e simpáticas, muitas delas de origem francesa, cujos ancestrais, protestantes que fugiram da perseguição católica, rumaram para aquele fim de mundo e ali plantaram vinhas. Haveria ali boa esperança para Thomas ou apenas o aguardava o fim do mundo e águas traiçoeiras? Estava decidido. Iria para Stellenboch visitar Jan. O agradou a ideia de ir para um lugar que era literalmente o fim do mundo. Quem sabe o fim do mundo o levasse a uma nova direção.

Desembarcou na Cidade do Cabo sob um vento frio, e logo viu ao longe a esvoaçante cabeleira cor de palha de Jan e suas enormes mãos acenando para ele. Ele sorria, pondo à mostra seus grandes dentes. Jan den Brok era africâner, descendente dos holandeses que abandonaram as planícies inundadas dos Países Baixos, e rumaram para aquele local ainda pouco explorado, conquistando cada retalho daquele novo lugar com a perda de muitas vidas, sucumbindo a doenças desconhecidas e disputando a terra com centenas de nações guerreiras, como os Zulus, que ali já estavam, e depois com o Império Britânico.

"Vamos tomar algo para comemorar sua vinda", disse Jan, todo sorrisos, envolvendo Thomas em seus braços longos e grossos. Era um gigante de bom coração, com grande talento para extrair o melhor das uvas Pinotage, a principal em sua vinícola, que também produzia Syrah e Cabernet Sauvignon.

Em seu pouco imponente *hatchback* já com a marca de anos de uso, Jan percorreu a estrada que ligava a Cidade do Cabo até a vinícola com preocupante lentidão, e na perspectiva de Thomas, dirigindo do lado errado da estrada. Jan balbuciava algo incompreensível em tom depreciativo aos carros que o ultrapassavam, enquanto se animava em contar detalhes da última safra, como se conhecesse cada uva como uma amiga íntima; ia relatando os problemas que tiveram no ano anterior, quando choveu no verão e não no inverno, como era de costume.

"Este clima está realmente completamente maluco. Aquecimento global, Thommie, *we're proper fucked*", Jan vaticinou, e não somente uma vez, no longo monólogo que proferiu até chegarem. Thomas agora lembrava-se vivamente por que hesitou durante tanto tempo em visitá-lo, e o motivo pelo qual Jan não fora exatamente um sucesso com as garotas da Califórnia.

Depois de aceitar o convite de Jan para provar garrafas das dez últimas safras de Pinotage, duas delas excelentes, uma ótima, outras quatro regulares, e três sofríveis na concepção de Thomas, e de compartilharem histórias dos tempos em que foram estudantes, lembrando das garotas, sobretudo as de Thomas, algumas das quais ele já havia esquecido, e dos vinhos que ali provaram, Thomas foi se deitar, num outro continente, no fim do mundo, muito distante dos seus problemas, sem fazer questão de que essa bagagem chegasse tão cedo. Que ficasse um tempo ainda retida na alfândega.

Acordou tarde no dia seguinte e com uma bela ressaca. Jan havia acordado cedo e não via a hora de Thomas despertar para enfim mostrar a ele sua belíssima cidade, com sua Table Mountain, e o Cabo que emprestava seu nome à cidade. Um relevo soberbo, esculpido e talhado por milhões de anos de fortes correntes de vento polar. Os sagazes babuínos no estacionamento do Cabo tentaram roubar a garrafa de cerveja de Thomas, seu remédio para a ressaca. Os pinguins eram hilários com seu andar cauteloso, pouco afeitos que eram à terra firme.

Jan extasiava-se ao ver as tais garotas da Cidade do Cabo, mas Thomas parecia mais interessado nas suas notícias, nos mercados, nas cotações, e cada vez mais, nos desastres ambientais que diariamente apareciam nos jornais. Foi preciso um desastre ambiental um tanto próximo de si para que Thomas começasse a se interessar pelo tema. Por um instante, para tentar se desviar do pessimismo que o assolava naquele instante, lembrando da vinícola e da destruição causada por aquele clima insano, Thomas levantou os olhos da tela de seu celular.

Dentre as nuvens carregadas que pairavam em sua mente, desceu então um raio sobre Thomas. Naquele instante, sem o saber, Thomas não diferia em nada do seu amado carvalho branco; ardia sob o efeito de um raio, tal como a árvore. Aquela mulher era maravilhosa! Seu cabelo era uma trama que nem os mais habilidosos artesãos saberiam trabalhar, um misto de seda com linho. Deixou Jan falando sozinho, algo que ele parecia estar acostumado a fazer, e foi ter com aquela mulher. Se apresentou em inglês.

"Hi, my name is Thomas. I have never seen a more beautiful woman in my life."

Talvez tenha sido o sotaque francês dele ao proferir tal frase, o próprio conteúdo da mesma, ou então a pureza com que se expressou, mas o fato é que Marisol sorriu, algo que não costumava fazer. Não estava acostumada a abordagens assim. Foi pega de surpresa, mas mesmo assim, sorriu. Sentiu-se confortável com a forma em que o rapaz se expressou, com naturalidade, sem vulgaridade. Foi simples, direto, e segundo seu instinto, que raramente falhava, pois não podia dar-se ao luxo disso acontecer, sincero. Coisas assim não aconteciam todos os dias na vida de Marisol. Ela estendeu uma mão para Thomas, que a recebeu como Ali Babá o passe mágico para abrir a caverna dos quarenta ladrões. Ainda que ela tivesse quarenta pretendentes, estaria disposto a roubá-la para si.

"Nice to meet you, Thomas, I am Marisol."

Ele perguntou sua origem.

"I am from Angola."

Thomas disse que era francês, mas nem precisaria.

Jan se juntou a eles e se apresentou, na esperança de que Marisol tivesse uma amiga para o apresentar, de preferência africâner ou francesa. Não poderia acreditar que logo na sua terra natal, ele estava se vendo ser mais uma vez vencido na conquista do sexo oposto pelo galã francês da faculdade. Jan acreditava que seu insucesso com as mulheres em comparação a Thomas era facilmente explicável pelos ares de estrela deste último.

Na verdade Marisol estava sozinha, vinda de uma conferência de petróleos, onde havia discursado, e como tinha um dia de sobra na viagem, resolveu passear pela Cidade do Cabo, sua favorita em África, depois de Luanda. Lembrava o Rio de Janeiro, sem as favelas matizando as montanhas de ocre.

Jan não demorou muito em perguntar se ela gostava de vinhos. Ele tinha uma vinícola em Stellenboch, era uma das melhores, seguramente, com safras de Pinotage reconhecidas mundialmente pelos maiores enólogos, entre eles, este francês, o Thomas. O carro dele estava próximo, e se ela tivesse ainda uma amiga poderia convidá-la pois poderiam fazer uma visita guiada por ele mesmo pela vinícola, e ainda fazer uma degustação completa das dez últimas safras, que foram todas excelentes. Enquanto Jan falava, Thomas e Marisol trocaram olhares, sem pressa, mas com profundez, comunicando-se de uma forma que estava além das habilidades de Jan. Marisol parecia hipnotizada, e disposta a fazer algo que nunca ousara em sua vida.

Gostei de ti
E eu de ti
Este chato não vai parar de falar?
Desculpe, meu amigo é assim mesmo mas é boa pessoa
Já me decidi, vou com vocês
Era tudo o que eu mais poderia querer
Então vamos pois não aguento mais este teu amigo a falar
Vai se acostumando, pois no carro ele fala sem parar

Não sei como você aguenta

Também não. Cheguei ontem, mas parece que já cá estou há um mês

Em pouco tempo estavam os três na vinícola de Jan saboreando suas melhores safras de Pinotage, Syrah e Cabernet Sauvignon. Jan ensinou-a o truque de meter uma pitada de sal na língua antes de provar o vinho. Alguns vinhos evocavam frutas silvestres e chocolate, outros nozes, couro, e baunilha. Jan citava algumas notas aromáticas que nem Marisol nem Thomas conseguiam distinguir, e Thomas brincava dizendo que Jan estaria inventando. Thomas percebeu que Marisol era uma profunda conhecedora de vinhos e das nuances de aroma e sabor. Teria sido uma excelente aluna na UC Davis. Ao brindarem, chocavam os copos com intensidade, como se as mãos quisessem largar as taças para que os dedos pudessem se entrelaçar. Olhavam-se nos olhos, ele sério, ela com um leve sorriso tímido, de quem não costumava esboçá-los. Era através dos olhos que costumava evocar emoção.

Com ansiedade ele esperava a cada gole o comentário dela. Não só queria ouvir aquela voz como também a inteligência por trás daquilo, como se tanto o exterior para onde Marisol projetava sua voz, e o interior, de onde saíam as palavras na sua mente, fossem igualmente atraentes. Ali estava uma mulher rara, na qual pensamento e discurso eram um só. Marisol lhe transmitiu confiança. Nunca havia conhecido uma mulher africana, quanto menos uma angolana. Como seriam as angolanas? Não fazia ideia. Mal sabia onde ficava Angola. A África ainda não figurava fortemente entre os mercados que Thomas pretendia conquistar. Sabia que havia gente muito rica na África do Sul, e soube da existência de um bilionário nigeriano, o rei do cimento, mas era muçulmano, e dificilmente se interessaria por vinhos. Mas Angola? O que teria por lá? Só soube que aquela mulher lhe pareceu diferente de todas que havia conhecido até então. E não foram poucas. Nos Estados Unidos, Jan poderia atestar a veracidade disso, Thomas havia feito uma degustação profunda de várias safras e variedades. Queria saber mais sobre ela. Pareceu-lhe que nela poderia confiar.

Thomas não gostava de ser enganado. Preferia enganar a ser enganado. Era fascinado pelas formas como as pessoas eram enganadas, por vezes conscientemente. Como todo comerciante, tinha que se manter do lado dos que enganavam, ou que pelo menos conseguiam iludir as pessoas, vender um sonho, uma necessidade até então insuspeita. O vinho habitava esse mundo sublime do luxo, amplificava um momento com suas cores e seu universo de sabores. Era figura fácil nos jantares à luz de velas, contido em taças que remetiam às abóbodas das catedrais, e cujo choque soava como os sinos. Havia ritual ali, e muita história, que o diferenciava de um mero produto. E no entanto mero produto era, para ser vendido e comprado. O mundo estava dividido entre vendedores e compradores. Vendiam sonhos as gentes do cinema, da televisão, da música pop, e havia compradores o suficiente para todo o tipo de produto, do mais efêmero ao sublime e perene.

Surgiam cantores seminus, exibindo seus corpos em vídeos com coreografias e visuais ousados ao ritmo de alguma dança sensual, e em breve faziam concertos para dezenas de milhares de pessoas. Em questão de meses desapareciam, para então surgir um outro artista para ocupar o seu lugar. Era, na linguagem do marketing, matéria que havia estudado com afinco na faculdade, um ciclo de produto muito curto, como o Beaujolais, que a cada ano saía para ser consumido em quantidades gargantuescas. A publicidade fazia o comprador acreditar que o final feliz só seria possível após a compra. Depois era preciso consumir mais uma vez pois aquele já havia desaparecido. Sabia que havia um vendedor, um empresário, uma indústria muito sagaz e eficiente por trás daquilo tudo para produzir aquele produto que se apresentava no mercado, e que brevemente perderia validade. O comprador era sempre enganado. Ele se divertia. As pessoas compravam ilusões de bom grado. Sabia quão inocentes eram estes vendedores se comparados aos governos e seus líderes, cujas decisões preparadas em privado eram depois mascaradas para aceitação daqueles que os elegeram. Se isto ocorria com frequência no Ocidente, o que dizer então dos países onde os cidadãos eram desprovidos de liberdade de expressão ou mesmo do direito de eleger novos líderes? Faziam acreditar que o vinagre era vinho.

Seu vinho não poderia ser assim. Tinha que permanecer em evidência, mas sempre trilhando o caminho da qualidade. Apesar das dezenas de técnicas e truques dos enólogos, havia um forte componente de verdade num bom vinho. Tinha que almejar à arte. Mas para isso, já sabia que tinha que encontrar a pessoa certa, com os recursos, para fazer com que as vinhas cantassem, ano após ano. Não era possível enganar os amantes do vinho. Era um público astuto e rápido em encerrar a carreira de algum impostor. Havia um certo código de honra entre os grandes viticultores e enólogos. Não havia espaço para engôdos. Havia sim técnicas para dar ao vinho o sabor e aroma que se desejasse, mas não se podia enganar durante muito tempo. Um dia as uvas iriam parar de cantar.

Jan viu-se um tanto esquecido naquela sala, e como que por milagre, interrompeu seus comentários sobre cada efeméride que seus sentidos apuravam. Resolveu dar um passeio pelos vinhedos para ver se havia alguma visitante interessada num tour individual.

O leve sotaque britânico de Marisol era apenas um dos mistérios que iluminavam aquela mulher. Thomas manteve-se calmo durante a degustação de muitas taças de vinho. Por fim não se conteve, pousou sua taça na mesa e fez o mesmo com a dela. Então trouxe Marisol para si, como quem colhe de um vaso uma rosa para absorver de perto seu aroma. Ela havia aguardado Thomas tomar a iniciativa. Ele havia demorado tanto que Marisol quase estremeceu quando ele a tocou.

O calor das toras de pinus queimando na lareira de pedra do salão de teto alto, as estrelas que se mostravam pela abertura de vidro da iluminação zenital, as peles das grandes caças africanas nas paredes e sobre o piso de granito, as poltronas revestidas de couro de búfalo, tudo naquele ambiente se moldava aos sentidos de ambos, já aguçados ao extremo e ansiando por estímulos. Vinho não era mais preciso pois já o tinham dentro. O exercício da degustação seguiu-se sem pressa, cada um ao corpo do outro.

Couro
Seda
Morangos
Mirtilos
Amoras
Incenso
Nozes
Baunilha
Cacau
Tabaco
Ameixa
Múcua
"Múcua"? What is this?
I will tell you someday, maybe soon

No dia seguinte, quando chegou a hora de Marisol partir, Thomas resgatou uma emoção que estava adormecida desde a infância, a dor de ver alguém partir. Thomas sentiu o que tantas mulheres provaram por sua causa. Marisol não se despedia como ele havia feito com aquelas que haviam se entregado a ele. Mas não seria a única lição a extrair daquele sentimento. Marisol e Thomas agora estavam no começo de uma história de amor, na qual, ao inverso dos contos de fadas, o enunciado e foram felizes para sempre vem ao início.

3
Carapauê

MARISOL VIU-SE de volta a Luanda. A única coisa que não a deixava entrar em um estado de pânico era lembrar dos aromas daquele homem e do momento em que deu seu telefone a ele. Me ligue quando chegar. Não se perguntou por que o fazia, sentindo-se impelida por uma força nova à qual não estava acostumada, e por isso mesmo, a sustentou. Já se via tendo filhos com Thomas. Que coisa absurda. Logo ela, que ainda era pássaro na gaiola, já se vendo livre para alçar voo e pousar onde bem entendesse, em qualquer árvore e com seu par construir ninho. Que ousadia! Que devaneio! Que delícia! Viveria sim com ele, na China até se fosse preciso. Mas pensava que provavelmente se contentaria com sua vinícola no vale do Rhône. Aprenderia sobre as uvas, sobre o campo e o solo. Para alguém que aprendera a extrair óleo de rocha das profundezas da terra, extrair o sumo de uma fruta não deveria ser tão difícil de compreender e dominar. Estava verdadeiramente fascinada por tudo que ouviu de Thomas. Marisol já se via entre as videiras, como ele havia explicado, podando os cachos para chegarem à perfeição. Aquilo era muito mais atraente do que viver num escritório, como se dentro de um aquário, sempre a pensar nos demais colegas que queriam podar suas chances de crescer na empresa. Produzir um vinho era algo oriundo de um outro tempo, mais artesanal; havia inverno, primavera, verão e outono no processo de produção de um vinho. Era algo óbvio de se dizer, no entanto, quantos outros modos de vida atualmente eram pautados por esta sazonalidade que ligava todos os seres vivos do planeta, e cada vez menos, o homem?

Se tivesse de acordar cedo, passar frio, ali estaria, ao lado de seu homem, para plantar, colher, o que quer que fosse necessário. Imaginou que Thomas teria uma casa de pedra como a de Jan, e que o frio fosse até mais aguçado em França, propiciando o encontro dos corpos. Foi assim na vinícola de Jan, e esperava que assim fosse, um dia, em França. Fariam vinhos como quem faz amor. A personalidade dos dois dentro de cada garrafa. Não seria um vinho comercial. Fariam algo distinto, como tinha certeza que era o dom e a vontade de Thomas. Ele não parecia ser alguém que fosse atrás das modas, somente para poder vender seu produto. Era um vinicultor, um enólogo, e tinha personalidade suficiente para fazer valer e imprimir sua filosofia aos vinhos. Vinha de uma tradição, e isto era muito forte. Fazia vinhos de forma artesanal, sem preocupações com o lucro ou posicionamento no mercado, ou estratégias de marketing.

Desde que vira a peça de Shakespeare em Londres, havia adquirido a mania de expressar o que demonstrava em público como o palco e seus verdadeiros sentimentos como os bastidores. Detestava esse fingimento, escondendo o medo nos bastidores. Surgira um outro sentimento muito mais intenso. Somente um deles poderia permanecer. Queria pôr fim a uma vida dominada pelos bastidores. Com Thomas, seria impossível fingir. Thomas a fez se sentir bela e mulher. E como confiei no amor, ele confiou em mim.

Tinha certeza que Eri perceberia que algo havia acontecido. Como uma mulher que havia descoberto a possibilidade de felicidade poderia esconder isso? Como lidaria com aquelas mãos de guerreiro que apenas seguravam as suas, ou então faziam tranças em seu cabelo? Relembrou o dia em que Eri pousou seus olhos sobre aquela menina de tranças e nunca mais os desviou. Um dia como qualquer outro, onde vestiu o uniforme da escola após o banho, fez um mimo ao rafeiro, organizou os livros e cadernos na pasta, e saiu pelas ruas sob a luz dourada que quase cegava, e então entrou pelos portões da escola ouvindo os gritos das outras crianças. Fora um dia verdadeiramente banal, mas que num dado momento fez com que todos os seguintes fossem diferentes.

Me ligue quando chegar a Luanda.

Não soou como uma oferta dita em vão. Era uma ordem, e ele a obedeceria. Esqueceu as notícias, os e-mails dos clientes e distribuidores, as bolsas de Xangai e Nova Iorque, as tempestades sobre o Château K, o clima violento que lentamente ia ceifando as vinícolas do vale do Rhône, e começou a pensar no que seria preciso para estar com Marisol. Diferente das outras mulheres que passavam pelo Château K, esta ele convidaria para ficar durante o fim de semana, durante a semana, o mês inteiro, e inventaria excursões e motivos para retardar sua partida. Vamos a Lyon? Vamos a Grenoble? Vamos esquiar nos Alpes d'Huez? Ali ele aprendera a esquiar com o pai. Vamos velejar no Rhône? Imaginou pela primeira vez algo impensável até então e se surpreendeu com tudo isso. Era muito novo para ele isso de se apaixonar, e ter os pensamentos completamente direcionados para uma pessoa. Pensou em ter filhos com Marisol, e imaginou como seriam. Acreditou que seriam morenos, atléticos e vivazes, como Yannick Noah. Quantos teriam? Quantos ela quisesse, e todos viveriam na casa de pedra de janelas altas do Château K. Teria uma bela filha com cabelos encaracolados e uns belos rapazes com *dreadlocks*, todos conhecedores do trabalho manual e da alquimia do vinho. Alguns seriam melhores na vinícola, outros na adega, e ainda outros no comércio, vendendo o vinho como quem vende sonhos. Poderiam estudar na Califórnia como o pai, aprender as modernas técnicas de transformação do vinho num campeão de vendas. Poderiam trilhar os caminhos turvos do comércio, cheio de artimanhas, para melhor posicionar o Château K entre os grandes vinhos. Talvez Marisol, sendo uma exímia negociadora de contratos em seu trabalho atual, se mostrasse melhor do que ele na hora de tratar com os distribuidores, que ficariam sem reação perante aquela linda mulher com uma voz que tudo tinha a ver com o vinho. Talvez ela fosse a chave do sucesso do novo vinho do Château K. Viajariam juntos, antes dos filhos nascerem, para desenvolver mercados. China, Rússia, Oriente Médio, as Américas. Quem não se encantaria com aquela mulher, e não se lembrasse do vinho produzido por ela, condutora da missão de levar o Château K ao Panteão dos vinhos. Thomas viu seus pensamentos correndo soltos e os trouxe de volta ao curral. Logo a seguir, viu que novamente já estavam soltos. Já se via em Angola, com Marisol. Talvez mudasse de vida, abandonasse o vinho para sempre, para viver num país africano com sua mulher africana. Ou então tentaria fazer vinho naquele local. Não havia colegas da universidade fazendo vinhos no Brasil, país tropical com clima similar ao de África?

Aliás onde mesmo ficava Angola? Com uma pesquisa rápida descobriu que estava entre o Congo e a Namíbia, sua costa banhada pelo Atlântico. Já não era mais o seu Rhône e nem o Mediterrâneo. Era um oceano, onde desembocavam rios imponentes como o Kwanza, que dava seu nome à moeda do país. O que sabia sobre Angola? Um viciado em informação não tardaria em pesquisar tudo o que fosse preciso para se inteirar sobre aquele lugar tão desconhecido e de onde tão poucas notícias surgiam. Naquele momento, no entanto, ele se contentava lembrando-se de Marisol, de cada instância da sua pele, de cada ângulo do seu rosto e da textura de seu cabelo. Acima de tudo sentia desejo sempre que recordava-se do perfume da pele de Marisol. Esqueceu das notícias e dos problemas do Château K.

Ao chegar a Luanda, Marisol viu a Bentley à sua espera, e dentro dela, Eri sorria.

"Divertiu-se muito na Cidade do Cabo?", indagou.

Seus olhos entretanto demonstravam algo distinto. Era o brilho de fúria que penetrou até a alma de Marisol e atestavam aquilo que ela mais temia no mundo. Ele já sabia. Não soube encontrar palavras, e na verdade pensou que não as havia, para destravar aquele nó que a atava. Eri era bom com os nós. Ele agora estava em posição de quem espera sob terreno de vantagem moral, pois no acordo nunca expressado entre os dois, ela havia errado. Havia quebrado as bases do tratado silencioso que existia entre os dois e que para Eri era inquebrantável, como os nós que os atavam. Ela não se arrependia, e naquele momento queria ter uma lâmina para cortar aquele nó de uma vez por todas. Queria mostrar os dentes, como ele a proibia de o fazer, e se lançar contra o nó. Queria dizer que amava um outro, e que nunca amou Eri. Queria dizer que nunca se sentiu amada por Eri.

A Bentley desceu o viaduto frente ao aeroporto rumo à cidade e estancou no trânsito. Marisol ficou observando as crianças e jovens vendendo latas de azeite, carregadores de celular em ramalhetes de cabos como pernas de um polvo cibernético, CDs piratas de Roberto Carlos, Salif Keita e Papa Wemba, espelhos, potes de leite em pó, roupas arranjadas em cabides, a Constituição de Angola, o Código Civil, a Lei Geral do Trabalho, e frutos, quase sempre amassados como a chaparia dos carros de segunda e terceira mão que vinham de Antuérpia importados por empresas libanesas, Toyotas Corolla dos anos 1980 que os angolanos afetuosamente chamavam de gira-bairro ou bolinho. Olhou sua terra como que pela primeira vez, como se não tivesse ali nascido e crescido, como se aquilo não lhe bastasse, como se algo lhe faltasse, e sabia bem o que era. Tudo aquilo que ela antes aceitava como sendo sua casa, sua cidade, seu país, que saiu da guerra civil e ingressou na luta de todo dia de cada cidadão para encontrar uma forma de sobreviver, lhe pareceu sujo, feio, podre, fedendo a morte. Aquele coração que projetara seu amor para fora, à Tia Solange, ao cão Kuroka, às memórias do Huambo, passando pela casa onde viviam, ao bairro da Maianga e suas ruas que desembocavam na Avenida Antônio Barroso e suas mangueiras, à cidade de Luanda em si, até o conceito abstrato de país, começou a fazer o caminho inverso, abandonando tudo aquilo que um dia amou ou pensou amar, para se bastar na Tia Solange, na memória dos pais, no cão e principalmente, e de forma intensa, naquele homem que havia conhecido no Cabo da Boa Esperança. O resto era campo queimado por exército que bate em retirada para se defender por trás de suas últimas muralhas de um outro muito superior.

O couro da Bentley a incomodava, como se queimasse ou picasse sua pele. Preferia estar num táxi lotado de passageiros, emitindo sons em baixas frequências de seus alto-falantes, projetando os kuduros do mês em todas as direções. Eri assoviava o refrão do kuduro que tocava em algum daqueles táxis, e olhava para sua Marisol, esperando, como um imbondeiro espera que o tempo pisque e perca o jogo do piscar. O imbondeiro desprezava o tempo, diferente de todas as outras criaturas na terra. O imbondeiro sempre vencia. Marisol continuava tentando se segurar com todas as forças para não dizer que amava alguém, porque sim, aquilo era o amor, que finalmente havia chegado e a feito saber o que era estar além da sombra da árvore oca.

Me ligue quando chegar a Luanda.

A frase de Marisol era como uma sucessão de ondas sobre Thomas. Via-se a dar-lhe o último beijo, e sorver seu perfume, antes dela entrar no túnel que a levaria ao avião da TAAG, Cidade do Cabo-Luanda. Tinha que estar em Luanda. Ele queria ligar antes, ou mandar mensagens. Sentia-se um adolescente, e queria por que queria agora neste momento satisfazer seus desejos. Ria, pois tinha certeza que com ela não seria diferente. Mas lembrava-se de que era um adulto, e que tinha que estar em Luanda. Fora o que ela havia dito. Ela não falava coisas à toa. Tinha propósito o que dissera. Não entendera naquele momento, mas confiava em sua Marisol, cuja pele ainda renderia um aroma que perfumaria o melhor dos vinhos. Múcua? Múcua. Nunca tivera uma noite de amor tão intensa, onde todos os seu sentidos foram desafiados por novos padrões. Sentia-se agora completamente deslocado em Cape Town. Achava-se agora realmente no fim do mundo, mas no pior dos sentidos. Era um fim do mundo que atrapalhava, que atordoava, que atrasava seu encontro com Marisol. Antes quisera estar no fim do mundo para poder se ver distante dos problemas do Château K, do Rhône, da França, do mercado do vinho, dos leilões de Hong Kong. Agora se via preso num local no qual todos os minutos o incomodavam, e também a presença de Jan. Era alguém que tinha uma sensibilidade nata para com as uvas, e tão somente. Para ele não seria possível explicar o que havia acontecido. Thomas havia conhecido uma mulher negra, de Angola, e haviam feito sexo. Thomas havia gostado do sexo e queria mais. Havia sido "pussy whipped", como se dizia em inglês. Era simples assim na mente de Jan. Não a achava bonita, não era seu tipo. Preferia suas africâneres e descendentes de francesas do Cabo. Talvez ainda conseguisse convencer o amigo francês a tentar conhecer uma du Toit, uma de Klerk, Joubert, le Roux, ou uma Malherbe, muitas delas oriundas de famílias de grandes produtores de vinhos.

Jan den Brok tentava consolar o amigo, mostrando as loiras de Cape Town a desfilarem seus esguios corpos europeus tão distantes da Europa, mas Thomas já estava com a mente muito longe dali, imaginando onde estaria sua Marisol naquele momento, e quando estariam juntos novamente. Pouco lhe importava as garotas pálidas do Cabo, ou mesmo Jan den Brok. Nem mesmo pensava no Château K, nos distribuidores, nas notícias sobre as guerras estourando sem solução mundo afora, novas catástrofes ligadas ao aquecimento global, nem no carvalho que antes fora branco e hoje estava torrado, que era como um pedaço de si e de suas lembranças.

Thomas estava confuso, e tudo o levava de volta a Marisol. Por que tão misteriosa? Por que não poderiam se falar antes de sua chegada a Angola? Seria casada? Se fosse, não deveria ser um bom casamento, pois se entregou como se não fosse amada há séculos.

Pareceu uma flor do deserto que havia esquecido o que era a água. Sentiu-se lisonjeado por ter despertado algo que realmente mudou a vida de Marisol. Havia estado com muitas mulheres, e nenhuma delas respondeu assim dessa forma a seus avanços. Iria a Luanda.

Por que Thomas não ligava para ela naquele momento, para atender na frente de Eri? Por que ela havia dito para somente ligar quando estivesse em Luanda? Olhando para Eri, fraquejou novamente.

A Bentley finalmente viu-se em ruas de fluxo desimpedido e seguiu seu curso imponente, refletindo em suas curvas lustradas as fachadas quase todas despedaçadas da baixa de Luanda, monumentos já decrépitos ao tempo de glória da colônia portuguesa, onde organizavam-se corridas de carros em suas ruas, bailes a fantasia e desfiles de moda em seus salões de festas. Os sinais luminosos acima dos beirais arredondados dos edifícios *art déco* ofereciam cerveja Sagres, pneus Michelin, máquinas de escrever Olivetti aos colonos. Ofereciam também a imponência do Império aos olhos atentos dos angolanos, alguns dos quais já começando a questionar o real poderio do império em salas escuras e reuniões de alcova. O idioma português era o único oficial, e o quimbundo ou qualquer outro dialeto tribal era suprimido. "Tio Liceu" Vieira Dias quebrou estas regras com seu grupo musical Ngola Ritmos, cantando em língua nacional. Logo a PIDE, polícia política do regime de Salazar, foi a seu encalço. Passaria dez anos na prisão do Tarrafal, em Cabo Verde, e dali saiu como pássaro que na gaiola desaprendeu a cantar.

Nada disso se revelava naquelas fachadas refletidas pelo azul marinho da Bentley. Eri continuava assoviando e cantarolando seu kuduro, com algumas frases em quimbundo, talvez sem dar valor ao quanto alguns lutaram para isso se tornar realidade.

"Thomas, você quer conhecer a Rota dos Jardins? É maravilhosa. Vai até Port Elizabeth. Tenho uma velha tia lá, a Tia Maggie. Chegamos em dois dias. Um, se você tiver pressa. Passamos por Jeffrey's

Bay, onde os surfistas flutuam entre os tubarões. Podemos fazer *bungee jumping*. Tem uma ponte enorme ali perto, você se joga, pensa que vai se estatelar lá embaixo, é adrenalina pura. Depois passamos por Knysna, onde se pode brincar com os golfinhos, e por fim..."

Jan sabia que Thomas não estava escutando. Tudo bem, ele gostava de ouvir sua própria voz. Ele continuava falando, assim como fazia quando as garotas de Cape Town iam-se embora de sua vinícola depois de um fim de semana de muito vinho e queijo, sem pedir a ele que as ligasse de volta ou as encontrasse para jantar em Cape Town.

"Jan, você já foi a Angola?"

"Angola, não obrigado. Aquilo é o caos!"

"Como você sabe?"

"Todo mundo diz isso. Todo sul-africano que vai lá é roubado ou enganado pelos locais. Aquilo lá não tem lei não, Thomas. Você está pensando em ir pra lá? Cara, aquela garota realmente mexeu com você. Ela nem era tão bonita assim! Eu ouvi dizer que as angolanas são todas pilantras. Só querem seu dinheiro. Arrumam uma barriga e dizem que você é o pai. São loucas. Ciumentas. Armam a maior confusão por nada. Tenho um amigo que..."

"Você quer fazer um safári? Vamos ao Kruger! Cara, você vai adorar! Lá na França não tem bicho de verdade. Quando muito você deve ver um coelho, uma vaca e um veado de vez em quando, né? Aqui na África do Sul nós temos bichos de verdade, leões, elefantes, búfalos, rinocerontes, leopardos. Você tem que ver! Ficamos numa barraca no meio do parque com o guia, ouvindo as hienas se aproximando do acampamento à noite para roubar o lixo. Depois de dia vamos de jipe pela savana, e com o binóculo você vê aquele leopardo lá ao fundo subindo uma árvore com uma presa entre as mandíbulas. É a natureza, cara, algo fascinante, igual aqueles documentários no Discovery Channel só que de verdade. Tem também o parque dos leões. Coisa de outro mundo. Um leão à solta numa boma, e o jipe entra com uma vaca morta para alimentar o rei da savana. Os filhotinhos de um mês, dois meses ainda vai, dá pra brincar, tocar. Mas vai mexer com os de seis meses... Não dá não. Aquelas patas arrancam tua mão. Ah, ainda tem o santuário dos elefantes. Você sabia que os elefantes também contam fofocas? As elefantas, quer dizer. As mulheres são todas iguais...."

Thomas sentiu vontade de pedir para Jan ficar calado, mas não tinha importância. Nada tinha importância, somente estar sob os olhos daquela mulher. Não lhe pareceu por nenhum instante que ela estivesse interessada em seus recursos. Ele conhecia bem as pessoas. Ele estava acostumado a dividi-las entre compradores e vendedores. Ela não estava entre os vendedores. Viu apenas uma mulher que pareceu descobrir a felicidade. Uma mulher que era infeliz. Levaria Marisol de volta ao Château K e ali teriam os filhos. Ali fariam as uvas cantarem. Ela era o tipo de mulher que abandonaria tudo por um homem e viveria em qualquer lugar do mundo com ele. Tinha certeza disto. Conhecia as pessoas. Sabia o que elas queriam.

Tinha que voltar à França para preparar o visto na embaixada angolana. Não conseguia pensar em voltar para o Château K. Não se via lá. Estaria exagerando?

Voltou a pensar sobre o Château K. Seria até melhor continuar distante. Nada pôde decidir na África do Sul. Ainda não surgira a decisão sobre o que fazer com sua vinícola e com sua vida. O clima iria continuar aterrador, vingando-se da ação humana. Um mês a mais ou a menos, não faria diferença. Romain saberia o que fazer para reparar as vinhas, replantando onde fosse necessário. Iria procurar aquela mulher. Saberia então seus segredos, e a desvendaria. Pressentiu que Angola lhe traria novos rumos, novas oportunidades.

Thomas agradeceu ao amigo pela acolhida tão simpática e prometeu a retribuir na França, garantindo que tinha muitas amigas em Paris que adorariam conhecer um sul-africano tão habilidoso com as uvas. Jan ficou intrigado por Thomas ter recusado suas fantásticas propostas de passeio, algo que nenhum dos seus convidados havia feito até então, para ir encontrar uma mulher em Angola, aquele país horrível, cheio de gente desonesta. Thomas era mesmo doido. Ainda falou brincando, Cuidado para não pisar em uma mina, e deu um tapinha nas costas de Thomas quando este partiu em direção ao avião.

Eri nada dizia. Assoviava agora *La traviatta*. Recordou-se que tinha aquela música em seu celular Vertu banhado em platina. Havia dado um igual a Marisol mas esta não o havia aceitado. Era mais uma forma de a controlar, pois certamente teria um rastreador. Eri não titubeava e lhe dava sempre os modelos mais novos de todos os aparelhos de celular. A demanda suprimida, na linguagem dos economistas, era algo que se podia notar com facilidade em Angola, e não só entre os abastados.

Marisol não conseguiu mais suportar. "Aonde vamos?"

Eri passou a ronronar "La donna è mobile", até que fitou Marisol novamente com aqueles olhos do colégio.

"Uma surpresa. Surpresa para a minha Marisol."

O *chauffeur* de Eri, o mesmo de sempre, cruzou o olhar com o de seu chefe pelo retrovisor, como se quisesse compartilhar uma piada, mas Eri nada cedeu ao serviçal. Este apenas marcou com os dedos brancos de luva sobre o couro do volante o ritmo da canção que ouvia seu amo assoviar.

Marisol notou quando o carro perdeu velocidade e Eri se mostrou mais excitado. Até parou de assoviar. A Bentley finalmente parou frente a uma casa rosa-claro de dois pavimentos sem beiral no telhado, com um jardim frontal cheio de rosas vermelhas.

Do bolso de seu paletó listrado, Eri fisgou um molho de chaves.

"Aqui estão as chaves, Marisol, podes entrar. Tudo que há lá dentro é teu. O que tinhas deves esquecer. Enquanto viajavas cuidei de tudo. A Tia Solange já está a tua espera."

Era verdade. Tia Solange estava ali, sentada num sofá enorme, branco, de couro. Esperava por ela, mas não para lhe dar boas-vindas. Parecia aguardá-la apenas para poder se despedir, pois nem mesmo a clínica privada foi capaz de curar algo que já não tinha mais cura. Marisol viu-se numa casa com empregada, motorista, jardineiro e cozinheira, todos aguardando suas ordens. Já não seria mais a velha casa da Maianga, aquela onde passavam os homens a vir oferecer banana do Uíge. A única ordem que quis dar naquele momento era Por Favor, Todos Vocês, Deixem-me à sós com a Tia Solange.

"Já não precisas mais trabalhar. Tudo está organizado. A casa é tua, o carro também. Os criados, não te preocupes, estão aí para te servirem."

Marisol olhava tudo aquilo à sua volta, a casa toda decorada com móveis italianos, louça sanitária japonesa, lustres ingleses, porcelana chinesa, e contra a parede da sala de jantar, um enorme quadro de um imbondeiro, feito por um pintor renomado, o Álvaro Seabra, aquele que só pintava imbondeiros e *welwitschias*, as árvores mais longevas de África. Subindo ao quarto, Marisol se deparou com mais um quadro, desta vez de uma welwitschia, frente à cama.

"Em tua homenagem, flor do deserto."

Marisol não sabia o que dizer. Eri tinha o poder de tirar as palavras de sua boca. Não podia aceitar, mas não queria atordoar a tia, que estava visivelmente frágil. Seria melhor aguardar até poder pensar em algo a fazer. E se Thomas aparecesse?

Eri desceu e ligou o aparelho de som.

"A tia disse que era tua favorita," Eri disse, vendo Marisol descer as escadas ao som da "Habanera", de *Carmen*.

"Vou deixar as duas à vontade. Devem ter muito a conversar. Volto mais tarde para te levar a jantar?"

Eri era mesmo engraçado. Ele ordenava as coisas em tom de sugestão mas nada havia de sugerido em suas palavras. Ele a levaria para jantar.

"Mas antes, vamos brindar à nova vida de Marisol."

Estalou os dedos e logo viu a empregada trazer um balde com uma Krug 1998 e três taças sobre uma bandeja de prata.

A tia alegou que a medicação não a permitia aquele luxo, e Marisol preferiria um copo d'água, mas brindou com Eri mesmo assim. A tia depois comentou que viu um brilho diferente nos olhos da menina. Para a tia, Marisol sempre seria a menina que lhe apareceu no portão da casa da Maianga, aquela que sempre tinha um brilho nos olhos ao contar ou viver suas histórias de piratas e aventureiros junto ao rafeiro Kuroca que era o homem da casa. Dessa vez viu um brilho que não era aquele da imaginação, e sim, um que sempre quis ver nos olhos da menina, e que por pouco ainda pensou que nunca veria. Respirou aliviada, pois também ela sentia que tinha culpa em ter aceitado a proteção de Eri em torno de Marisol, desde aquele dia em que ele a escolheu. Ela também punia-se por ter deixado com que as coisas fossem ficando cada vez mais sérias e os laços se fortalecessem com os anos. Poderia tê-los cortado no início, quando havia tempo, mas agora se viam naquela casa numa zona que dantes fora um bairro de lata dos trabalhadores que construíram aquele monumento horrível que era o foguetão, e que logo após a conclusão do mesmo tudo foi derrubado para então construírem estas casas de ministros e generais. Era mesmo bom que ia morrer em breve, pois sua pátria havia morrido há muito, e o espírito de camaradagem com ela. Ao menos teve tempo de ver que Marisol havia conhecido o amor, e isso já lhe era alento, pois com o amor havia a esperança.

Depois que Eri se foi, as duas a sós, naquela casa estranha, de paredes grossas e de beiral delgado, pintada de cor-de-rosa, com seu jardim de rosas frontal e muro baixo com cerca de ferro laranja, neste novo bairro sob a sombra da Cidade Alta, fingiram que ainda estavam na casa velha da Maianga, onde todos os cantos guardavam lembranças, e os objetos, humildes e em sua maioria funcionais, já haviam se tornado decoração. Tomaram chá de caxinde, a tia e a sobrinha ambas sem açúcar, por hábito incutido pela tia, dizendo que a sobrinha já tinha mel de sobra nos lábios. Marisol sabia que muitas vezes não havia recursos para açúcar na casa. O caxinde era bom puro e não carecia açúcar. Não soube por que mas sentiu naquele momento o gosto da língua de Thomas na sua. Algumas semanas depois, Tia Solange deixou Marisol para ir se juntar a outros camaradas onde todos realmente eram iguais, no Cemitério do Alto das Cruzes, no Miramar.

Ao consultar a página de internet da embaixada de Angola em França, Thomas ficou sabendo que teria que ter uma carta convite de alguma empresa estabelecida em Angola para poder obter o visto, mesmo de turista, algo que lhe pareceu contraditório. Um turista, convidado de alguma empresa? Seu primo trabalhava na Total, e ele lembrou em suas pesquisas que a gigante petrolífera tinha operações em Angola. Preferiu não arriscar, pois nada tinha a ver com aquele ramo de atividades. Contatou a embaixada de França em Angola com o pretexto de pesquisar solos propícios ao cultivo de uvas. A carta demorou, e quando chegou, Thomas anexou-a à sua documentação rigorosamente em ordem e tentou suprimir a ansiedade de poder chegar logo para ligar para Marisol e dizer, Aqui estou.

O visto tardou uma semana para ficar pronto, mas no mesmo dia Thomas já estava no Aeroporto Charles de Gaulle num voo Air France para Luanda. Sobrevoou o Estreito de Gibraltar, os Montes Atlas na Argélia cobertos de neve, o Saara, a grande Floresta Equatorial cobrindo desde os Camarões até o Norte de Angola, passando pelo Congo com forte turbulência, e finalmente aterrissou no Aeroporto Quatro de Fevereiro. Ao sair do avião tomou um golpe com o ar pesado e quente. Suportou a fila enorme de estrangeiros que aguardavam seus passaportes serem inspecionados, até poder pegar sua mala.

Rente à esteira de bagagem, viu um senhor de barba branca, vestido todo de branco, tentando puxar para si uma mala. Ninguém o ajudava. A esteira prendeu-se à sua túnica e o foi arrastando. Sua prótese soltou-se com o movimento brusco. A maioria das pessoas à volta fartou-se de rir enquanto Thomas o puxava para trás, segurando seu corpo surpreendentemente leve até que o velho conseguisse recuperar o equilíbrio para poder se recompor. Encaixou a prótese no lugar e sorriu.

"Obrigado, rapaz. Esses gajos não ajudam ninguém, ainda mais quando é um pula."

"De nada." Isso Thomas sabia falar.

"Vous êtes français, non?"

O sotaque de Thomas era inegável.

"Si. Pero podemos hablar português," Thomas arriscava, utilizando-se de todo seu espanhol do colegial de forma aproximada.

"Desde que não fales esse odioso castelhano", disse o velho.

Era um velho de olhos miúdos, vivazes e negros, de baixa estatura, barba espessa e branca, que se vestia em trajes de corte tipicamente africano, o bubu e as calças largas, todos em branco e de algodão. Havia voltado no voo TAP de Lisboa, onde fora receber um prêmio de pintura, muito a contragosto, pois detestava deslocamentos e, principalmente, aviões.

"Álvaro".

"Thomas".

"Nome de quem precisa ver para crer. Que fazes aqui, Tomé? Vieste enriquecer?"

"Vim por causa de uma mulher."

"Ah, então vieste para empobrecer. Escute, sou pintor. Venha me visitar em meu ateliê um dia desses, se conseguires escapar desta mulher".

Álvaro deu a Thomas um cartão com seu telefone e endereço, e este ficou contente de ter feito um amigo em Luanda de forma tão rápida.

Disse que ficaria num hotel na rua da Missão, e então o velho disse "coisa nenhuma, vais é ficar em minha casa! Sabes quanto custa a diária de um hotel em Luanda? Assim não vais ter massa para a tua dama". Thomas o ajudou a entrar num velho gira-bairro guiado por um sobrinho da mulher de Álvaro até a casa do velho na Maianga.

A primeira impressão que Thomas teve de Luanda foi de um lugar que precisava de mais árvores. Como era seca a cidade. E aquele céu cinzento, espesso, feito uma trama de chumbo, não se dissiparia em chuva? Os edifícios, alguns eram até interessantes, com arquitetura modernista, mas enegrecidos, clamando por tinta, desfigurados por pesados aparelhos de ar-condicionado que pingavam sem cessar. Calçadas estilhaçadas, revelando o solo arenoso que ia seguindo colina abaixo até o mar. Ao redor do litoral, flutuantes fileiras de navios aguardavam para atracar no porto e desembarcar a comida e grande parte do material que ainda supria a nação, como fora durante a guerra, e que tanto encarecia o custo de vida. O ar, aquele que o havia recepcionado com um golpe, impunha-se, pesando por sobre todas as estruturas, desafiando-as a se manterem em pé, assim como fazia aos homens. Impressionou-se com a quantidade de mutilados que vinham ter consigo esticando os braços em sua direção quando o gira-bairro parava nos sinais de trânsito. Entretanto, mesmo estes mutilados possuíam uma forma de se movimentar totalmente distinta da qual estava acostumado na França; pareciam que a qualquer momento conjugariam o tronco e os membros em alguma dança. Havia uma bonita informalidade no andar das pessoas.

Era uma cidade que somente uma guerra poderia explicar, pois tudo havia, não parado no tempo e definhado, e sim resistido, da forma que foi possível. Do pouco que sabia sobre a história daquele país, já havia visto o bastante para saber que seu povo era destemido. Respeitava Marisol ainda mais, por ter vivido em tal lugar e possuir tanta nobreza, tanta delicadeza, tanta consideração. Como num lugar daqueles, assim tão seco, pôde germinar tal flor? Esperava que todos fossem como o cacto naquele lugar, rijos, alheios à exuberância, e repletos de espinhos, por proteção. E no entanto, mesmo alguns cactos floresciam. Realmente ele pouco sabia de Angola. Alguns edifícios ao estilo de La Defense ou Hong Kong despontavam entre os antigos que ainda eram maioria, e Thomas sentiu uma pena, pois achava os antigos mais graciosos, apesar dos sinais do tempo. Havia uma certa harmonia nas dimensões e formas dos edifícios de época, e uma escala mais humana, que parecia se perder no novo modelo de *skyscrapers* que parecia ter feito a cabeça dos líderes e empresários do país.

A baía havia sido recentemente repaginada, nada lembrando aquela que havia visto nas fotografias disponíveis na internet quando pesquisou sobre a cidade. Em comunhão com os tempos atuais, de pouca sutileza na demonstração do sucesso material, parecia que os edifícios queriam gritar para todos ouvirem, Olhem, Somos Altos, Somos Arranha-Céus, mas ainda se ouvia ao fundo deste clamor, por aqueles que prestassem atenção, pela manhã nas ruas de calçadas esburacadas, tomadas pelo pó, o canto das peixeiras com a bacia de plástico rosa-choque na cabeça, Carapauê, Carapauê, Carapauê.

Thomas viu poucos pássaros, mas isso não exigiu de Luanda, pois Paris também não era cidade de muitos pássaros, fora os pombos. Viu sim carros enormes, caríssimos, que não via nem mesmo em Paris, como pequenos tanques de guerra, seus pneus grossos, seus para-choques cromados, pesados, certamente para fazer frente aos buracos nas ruas e para vencer como fazem os maiores pela lei da selva que era o trânsito de Luanda. Era covardia quando estes se deparavam com os miúdos Corollas que já não via há anos nas ruas da Europa, talvez por terem todos sido enviados para África. Se vivesse ali, também iria querer ter uma destas fortalezas rolantes. De nada serviria sua Mercedes que desfilava com elegância pelos vinhedos do Rhône, e cujo para-brisas preservava uma recordação da última tempestade. Os candongueiros, como eram conhecidos no calão os condutores dos coletivos, impeliam seus Toyota Hiaces à frente em disputa por milímetros de espaço, enquanto soavam livremente as suas buzinas.

Álvaro nada dizia, apenas dormitava, finalmente aliviado, pois não conseguia dormir em aviões. Tinha verdadeiro pavor daquelas coisas, e não sabia como um dia pôde ter sido paraquedista. O sobrinho não parecia muito interessado no branco que ia no banco de trás junto com a mala, preferindo conversar com uma de suas damas pelos fios que ligavam seus ouvidos ao celular.

Tás Maluca? Pensas que sou parvo? Tás é mal acostumada! Juro-te, tá cá o Tio. Queres que te prove? Tá a dormir, o kota não descansa, caga-se todo quando aquela merda balança, sim, tá aqui ao meu lado. Não, não estou a mentir-te. Olha, trouxe também um tuji dum pula. Tá assustado. Não para de olhar para todo lado, o gajo parece que nunca viu pretos. Deve ser americano. Deve ter kumbu. Quem sabe faz-me uma caridade? Vou almoçar por lá mesmo, na casa da Tia, tá lá a preparar o funji, fico-me por lá. Aquelas raparigas são minhas primas, que queres que te diga? Achas que não sou homem de se respeitar família? Iá, já te ligo, não tem maka.

Finalmente chegaram. A esposa de Álvaro, uma senhora negra cuja verdadeira idade era um mistério até para seu marido, mas que não aparentava ter mais do que quarenta, o esperava no portão com duas filhas, duas mulatas de corpos atléticos, que exibiam largos sorrisos, e que faziam os beiços do primo esboçarem agrado.

“Como foi lá na Tuga, ó pai? Vendeste muitos quadros?”

“Trouxeste uns pastéis de Belém?”

“Tás muito gorda, não paras de comer bolos na pastelaria, não podes comer pastéis de Belém.”

“Tu é que estás gorda. Pareces um imbondeiro.”

“Não vos trouxe nada disto, pois tua mãe é quem está muito gorda,” disse Álvaro, recebendo um beliscão da mulher. Todas observavam Thomas.

"Que trouxeste afinal, um tuga?"

"Não, trouxe foi um francês. Viram como sou elegante?"

"Não gozes. À sério, um francês?"

O primo entrou por último, já sentindo o odor da muamba de galinha da tia, e observando as curvas generosas da prima mais nova naquele shorts de lycra verde com as bordas brancas, deixando uma infinidade de pernas de jogadora de handebol para a contemplação.

Thomas se via motivo de arguições entre os familiares, mas perdeu todo o motivo para se sentir pouco a vontade quando o convidaram para sentar e tomar café. As meninas mostraram o quarto onde iria ficar, de uma delas, que passaria a dormir com a outra. A mais velha, que não teria mais do que dezenove ou vinte anos, ria e cochichava junto à irmã. Olhavam para ele como a um confeito que não conheciam, indagando que sabor teria. Ignoravam o primo Titi, pois o conheciam bem demais. Ele fazia brincadeiras, elas riam, mas queriam mesmo era saber do francês. Titi encheu seu prato de muamba e funji, comeu mais rápido do que todos, como era de seu feitio, e alegou algum telefonema que precisava fazer para pedir licença à Tia, deixar a mesa e atender ao chamado que o fazia a rede estendida lá fora ao quintal. Largou um braço para fora da rede para acariciar Katari, o cão de guarda da casa, um pacato cão do Congo com um olho malhado de preto.

Aquela era uma casa simples, sem ornamentos, mobília gasta, o couro no sofá esmaecido e fino, exemplares velhos do *Jornal de Angola* espalhados em cantos da sala, um televisor com tampo de madeira exibindo um jogo de handebol da seleção feminina angolana, ao qual uma das meninas fingia assistir com alguma atenção, e Dona Eunice indo e vindo da cozinha com algum prato a pôr na mesa para seu marido e para seu hóspede, sem cerimônias, sem perguntar por quês, apenas servindo. Muitas velas com a cera escorrida ao longo de seus caules fincadas sobre cinzeiros, estes que pululavam pela casa. As velas, num momento inicial, fizeram com que Thomas pensasse que a casa tivesse alguma religiosidade, porém os frequentes cortes de luz ao longo do dia demonstraram o real propósito daquelas. Haviam realmente muitas, pela sala, no balcão e na pia da cozinha, no banheiro, quando foi até ali, e logo no quarto onde foi deixar suas coisas.

Thomas se sentiu subjugado por tanta cordialidade, e sobretudo pela solidez do funji. Perguntou o que era e ficou surpreso ao saber que era mandioca moída e cozida. Intuiu que o molho da muamba era de amendoim, ou ginguba como disseram as miúdas. Foi somente depois de ter tomado banho e se trocado para algo mais leve e adequado ao clima que tomou coragem e ligou para Marisol. Afinal havia reunido as condições que ela havia imposto para que finalmente ligasse. Estava em Luanda. Viera para vê-la e tão somente. Nada mais queria.

O número discado soou algumas vezes, porém sem que do outro lado alguém respondesse. Ele já preparava falas, para depois desfazê-las e novamente outras preparar. Sentia-se um pouco ridículo sendo tomado por esta indecisão, esta fragilidade, pois não havia passado por isso na adolescência. Agora não sabia como agir. Era como a catapora, uma vez contraída em adulto, que vem com força redobrada. Riu da comparação, e gostou de ter feito uma piada, pois precisava recuperar os nervos. Ligou novamente, e novamente soou, mas desta vez, ao invés do timbre padrão de telefonia, ouviu uma música, provavelmente angolana. Atendeu.

"Aqui estou."

"Quem fala?"

"Thomas."

"Thomas quem?"

"Thomas."

"Não conheço nenhum Tomás."

"Quem é que está ao telefone contigo, Sandra", Thomas ouviu alguém dizer, ao lado da pessoa que havia atendido.

"Não sei, um tal de Tomás."

"Dá-me cá esta merda de telemóvel, mulher! Quem está a falar?"

"Thomas."

"Meu cabrão, esta gaja já é minha. Vai ligar para outra. Mulher, vais apanhar."

"Mas eu juro, não conheço nenhum Tomás."

"Conheces conheces, tás a mentir!"

Thomas entendeu não fazer mais parte daquela conversa, e preferiu desligar. Não queria saber o desfecho daquele desacordo familiar.

Tentou novamente, desta vez torcendo para não ser conectado com Sandra, e sim com Marisol.

Soou, mas não houve resposta. Ficou aflito. E se algo havia se passado com Marisol? E se viajou e não levou o telefone consigo? E se não pretendia realmente que Thomas fosse até Luanda para ter consigo, e agora não podia lhe dizer isso? E se tivesse mudado de ideia? Enquanto lhe vinham à mente diversas possibilidades conflituosas, e já pensando em arrumar suas coisas para deixar o país, o seu telefone tocou.

"Thomas?"

Era ela. Tinha que dizer algo.

"Aqui estou."

"Não acredito. Prova."

Thomas passou o telefone para uma das meninas, que espiava da porta, e pediu para falar qualquer coisa.

"Carapauê," foi o que Nilcéia disse, ecoando o grito das vendedoras de peixe.

Thomas havia chegado.

"Onde estás? Quem é que está ao teu lado a falar?"

Thomas apressou-se para dar a explicação.

"Estou na casa de uma família, que me acolheu. São muito gentis. Maianga, é o nome do bairro. A filha falou ao telefone. Quando nos vemos?"

"Te ligo a seguir."

A menina ficou enciumada ao saber que o seu francês já tinha namorada em Angola. Não havia problema. Ela o conquistaria. A irmã logo se juntou a ela para saber as novidades.

"Vocês não têm coisa melhor a fazer do que ficar na porta do meu amigo francês? Ele quer descansar. Deixem-no em paz. Vou subir."

Aquilo caiu nos ouvidos das moças sem força para demovê-las dali, e continuaram tentando iniciar conversa com Thomas.

"Sabes dançar quizomba? Queres que te ensine? Aqui em Angola se tu não sabes dançar não arrumas mulher."

"Sabes dançar a tarrachinha? Sou a melhor dançarina da ci-dade."

"És nada. Mal sabes dançar valsa. Pisas sempre no pé do par."

"Piso nada. Tu é que pisas. Tás sempre atrasada com a música."

"Tu é que estás. Danças quizomba parecendo que estás a ter um ataque *espilésptico*."

"É epiléptico, burra!"

"Não é nada."

"*Espilésptico* é que não é."

Coube à mãe acalmar os ânimos das miúdas, que raras vezes recebiam visita diferente em casa, muito menos de um francês. Aqueles olhos azuis, aquela expressão triste, aquele cabelo cinza, ai que belo cãozito que o pai trouxe da Tuga, precisa de uma dona, precisa de uma casita. Vou dar-lhe de comer eu mesma. Cada uma delas naquele momento tentava ocultar o mesmo pensamento uma da outra, como se isso fosse possível.

"Quando nos vemos?"

Agora que ele havia chegado, Marisol sentiu medo como nunca dantes em sua vida. Era como se não pudesse acreditar que tudo que sonhara havia se tornado realidade, e agora não estava preparada para lidar com tudo aquilo. Tudo pertencia ao imbondeiro. Não havia nem mesmo diálogo. Aquele homem viera por ela. Estava ali, tão próximo. O que fazer agora? Entrou em pânico. Qualquer movimento em falso seria fatal. Era preciso muita cautela. Não seria mais mera múcua no conjunto de guizos daquele imbondeiro. Seria a welwitschia, nos confins da terra, a tentar despistar o imbondeiro, para que seus movimentos evasivos o fizessem perdê-la de vista e, assim, pudesse enfim desaparecer.

4
O bruxo da Maianga

NA INFÂNCIA era uma terra chamada Vermelha. Dali de cima de seus montes calvos via-se quase que o mundo inteiro. Nasceu numa terra chamada Vermelha, onde não havia nome às ruas, mas as casas tinham nome. Gostava de dizer isto a todos que conhecia, apesar de cada vez menos ter a oportunidade de o fazer. Em casa, pouco importava à Dona Eunice e às meninas o significado daquilo, manifesto comunista, marxismo, leninismo, trotskismo. Queriam é ter dinheiro para poder comprar as coisas no mercado, o mínimo necessário, ao que estava acostumada a Dona Eunice, que vivenciou a guerra e suas carências.

Já para as meninas, a guerra era só uma memória distante de não poder ir além do Morro dos Veados em criança devido ao controle militar, e de não poder sair após às dez da noite, devido ao toque de recolher, e de comer muito carapau e bananas. Hoje, nos tempos da paz, podiam sair à hora que bem entendessem, apesar da cada vez menos observada proibição dos pais, e ir muito além do Morro dos Veados. De fato o faziam com frequência, acampando no Parque do Kissama e no Cabo Ledo com amigos. Mesmo com a liberdade de ir e vir, pouco mais conheciam do vasto país que herdaram, unido e finalmente em paz. E tampouco sabiam ou davam importância às batalhas que houveram desde o tempo colonial até os últimos confrontos na guerra civil. Kuíto Kanavale, era o quê, marca de roupa? Do Savimbi o que mais ouviam eram anedotas. Zenza do Itombe, era nome de algum estilista? Kifangondo, alguma casa noturna para os lados da Baixa? Queriam era comprar sapatos, perfumes, batom, maquiagem, e principalmente vestidos. Nunca leram um livro que não obrigadas na escola, e quando muito de forma superficial, sem interesse. Preferiam jogar handebol na quadra da escola, dançar quizomba nas casas noturnas aos finais de semana, e ir à Ilha nos dias de praia para conversar com os estrangeiros bonitos e pálidos com seus calções grandes demais e de cores espalhafatosas, bebendo suas caipirinhas no *deck* do Miami, do Caribe, do Chill Out e do Coconut. Trotsky, era o quê, uma bebida com vodca? Lenine e Marx para elas eram apenas nomes de rua e cinema. Não nasceram a tempo para ver os filmes russos e romenos que davam na tevê nos anos oitenta. Gostavam mesmo é de telenovela brasileira e do sotaque daquela gente, e dos cabelos daquelas mulatas. Sonhavam um dia conhecer o Rio. Não se interessavam por Benguela ou Malanje. Enquanto isso, a vida passava, esticando-se o pouco que havia, e que alegria quando o pai vendia alguma tela, pois tinham mais massa para produzirem-se melhor, e até mesmo colocar extensões no cabelo, daquelas que vinham do Brasil e eram bué caras. Às vezes aceitavam o presente de algum homem. Em geral eram os mais velhos que tinham a massa. Os mais novos pouco tinham, salvo a empolgação e a boca que nunca fechava, a contar história atrás de história. Até cansava. Os mais velhos falavam menos, e as duas sentiam-se lisonjeadas com aqueles olhos mareados a olharem para elas, num final de noite no Farol da Ilha, depois de muitos drinks, tomando caldo de peixe para arrematar a embriaguez. Vestidos, calças de ganga, tênis trazidos da tuga, pois sim, por vezes aparecia um tuga mais ousado, e bichos de pelúcia. Isto a mais velha já não gostava, preferindo vestidos e sapatos, mas a mais nova ainda agradecia, e povoava o quarto de ursos abraçados a corações, gatos gigantes, cães com olhos enormes e línguas de fora, como os velhos dadivosos, que naquelas terras dedicavam tempo e dinheiro às suas catorzinhas. As duas já estavam quase a passar daquela tenra idade ainda considerada dentro dos limites da catorzisse, mas ainda possuíam muitos admiradores. Doença, não temiam, pois pensavam que seus velhos eram-lhes fiéis, e pouco afeitos a rotações, e também por um tanto de orgulho em acharem-se imunes a tudo. Davam valor ao que conseguiam com essas amizades, e pouco a pouco iam juntando bens da forma que lhes era possível, no país que agora era livre para cada um fazer sua vida como conseguisse.

Nunca saberiam que para o pai o comunismo fora um dia tudo em sua vida. Ainda guardava na parede do ateliê, emoldurada, sua carteirinha de membro do Partido Comunista Português, datada de 1953. Entre os livros de literatura nas estantes, havia o seu Eça, os livros do Pepetela e do Luandino, e os do amigo Manuel Rui. Neruda, Rilke, Alexandre O'Neill, Mário Cesariny, este mais poeta do que pintor, costumava dizer. Em destaque, estava a obra maestra de Karl Marx, ofertada por um decano do partido ao jovem num dos congressos que frequentava em Lisboa, nos tempos da clandestinidade. O estúdio feito sobre a edícula da casa na Maianga parecia um oásis em meio àquele caos de buzinas, candongas, policiais ávidos por gasosa, chineses em situação ilegal, libaneses, certos destes ligados ao extremismo, vendendo tanques d'água e alimentos a grosso para os mercados, e dos lados do Alvalade, os Porsches Cayenne e Tuaregs, Land Cruisers e Land Rovers, vindos dos sobrados e mansões alugadas pelas embaixadas, petrolíferas e também ONGs.

Ali ele se isolava para incansavelmente reler as explorações do interior daquilo que ainda estava por se chamar de Angola, por intrépidos aventureiros das causas e motivações mais díspares, desde o missionário escocês David Livingstone, que supostamente conseguiu converter apenas um homem ao cristianismo e mesmo assim um fiel relapso no paganismo e na poligamia; passando pelo botânico austríaco Friedrich Welwitsch, que deu nome à *Welwitschia mirabilis*, misteriosa planta do deserto; até o intrépido húngaro Lazslo Magyar, que se casou com uma das filhas de um rei local e sempre fazia mapas com graves distorções geográficas. Pelos militares como Capelo e Ivens e Serpa Pinto, que exploraram o interior a mando da monarquia, ele pouco se interessava. Sabia o que eram as explorações militares, com seus mapas para conquista de território.

Muitos dos lugares descritos por estes viajantes no século dezenove foram por ele visitados durante seus tempos de tropa pelo exército português. Mas não caíra dos céus espessos de pólvora de bateria antiaérea com seu paraquedas brancos para fuzilar as pessoas, e sim para as catequizar, tal qual Livingstone. Foram muitos como ele que vieram como combatentes do exército colonial, mas cujo verdadeiro propósito era passar para o lado de lá e formar o povo angolano no movimento comunista internacional, tal como havia feito Lenine, como havia feito Mao, Fidel, e também Che, que estivera em Angola e no Congo Democrático. Tal qual um missionário espalhando o evangelho, ele espalhava a palavra de Marx, aquele neto de rabinos, da igualdade entre os trabalhadores do mundo, e que estes o herdariam. Era o apóstolo perfeito, aquele que acreditava piamente na mensagem, muito mais do que os líderes, que uma vez apeados ao poder, se comportavam como todos os que ali chegam. Ele não tinha a disposição de líder, nem a sede de poder; lhe era estranho este sentimento, e não o conseguia imaginar nos outros, por isso era o fiel que com a palavra tentava incutir nos outros a fé no paraíso terreno do trabalhador.

Caminharia Angola inteira se preciso para espalhar sua fé. E não estaria sozinho. Como ele haviam muitos, infiltrados nas forças armadas. Afinal o golpe final ao salazarismo viria de dentro, a partir deste núcleo. Entretanto isso ainda estaria no porvir. O que aconteceu naquela tarde de arrebol cor-de-rosa manchado de negro pelos tiros dos canhões o fez caminhar menos, e sonhar mais. Não fosse isso teria voltado a Lisboa e cerrado fileiras com os camaradas na Revolução dos Cravos. Estaria hoje feliz? Desiludido? Portugal não se virou para a União Soviética após isso. Ainda bem, sabendo o que hoje sabia. Mas naqueles tempos, não sabia, ou melhor, não queria saber, apenas acreditava.

Acreditava e era como se fosse invencível em sua crença e na sua missão. Não se importava em virar mártir pela causa. Para o miúdo que nasceu naquela terra Vermelha, que corria o monte em meios as videiras com a pipa na mão, e que depois andou até Lisboa, o que se sucedeu foi um tanto inesperado. Não esperava que num dos combates, onde fazia sempre questão de errar o alvo, o sargento o mandasse avançar para próximo de uma torre de transmissão, sabido ninho de minas antipessoais.

Em questão de segundos tudo se apagou. Pronto, havia virado mártir da revolução. Ena pá. Um momento. Não havia céu para o mártir da revolução, como o há para os que praticam a jihad. Então não conseguia entender por que via mulheres de branco, bonitas raparigas, sempre a volta de si, e ele sempre deitado, a beber e a comer sempre por canudos, sendo sempre segurados por estas beldades de branco, e tudo à sua volta meio que na penumbra, um vibrar nos ouvidos e na mente, e a vista sempre turva. Havia falecido e descoberto o céu dos mártires da revolução? Afinal este existia? Onde estaria Trotsky? De todos, era o que mais tinha vontade de conhecer. Esboçava barba inspirada na que usava aquele semita endiabrado que tanto fez para vencer os exércitos brancos. Lenine também não lhe parecia de todo mal. Tinha um certo ódio de Estaline, por ter pervertido a revolução e seu potencial. Mas o queria encontrar, para dar uma boa cusparada em sua cara, que o fazia lembrar a de seu tio Alceu, dono da mercearia na Vermelha e que de comunista nada tinha, aliás muito pelo contrário. Era um burguês que explorava os criados e roubava nas contas com os fornecedores, estas sempre para menos, e com os clientes, sempre para mais. Estaria afinal no céu? Céus, o céu afinal existia? Eram anjinhas aquelas moças de branco, com cruzes bordadas no jaleco? O que fariam com comunistas no céu? Não poderia reclamar. Estavam a tratá-lo da melhor forma possível. Estava um pouco aborrecido de estar sempre deitado, mas provavelmente assim era o céu. Não possuía asas, então tinha que ficar deitado sendo mimado por anjas. Um tanto tedioso, mas por hora não tinha vontade de conhecer o inferno. Ali talvez fizessem coisa pior aos comunistas. Ou eram eles mesmos os administradores. Riu consigo mesmo da anedota, mas doeu-lhe o pulmão.

Álvaro por fim deu de contas de que estava era num hospital de campanha. Ficou frustrado por não ter a chance de dar aquela escarrada em Estaline, e de não poder comparar sua barba à de Trotsky, que sempre o lembrou de um pé de coelho, como os que criava na Vermelha, gordalhões e sempre ao coito com suas fêmeas. Voltou então a si numa cama sob uma tenda militar, enquanto sentia dores horríveis numa perna que já não mais existia. As anjas tomaram formas menos etéreas e ideais pois agora as via com a visão normal. Eram para lá de feias. Estava então no inferno, estava sim. A comida era qualquer coisa que preferia nem saber detalhes. Via os angolanos que eram obrigados a servir a força colonial comerem de um caldeirão uma massa branca, e a isso adicionavam nacos de carne de caça, e ficava com uma grande inveja. Para passar o tempo, fitava do lado de fora pela fresta da tenda um imbondeiro, dia e noite. Parecia que velava por ele, o protegia dos espíritos malignos da floresta que perseguiam seus sonhos. Ainda sonhava com a perna que lhe havia sido roubada, e corria atrás dela todas as noites pela chana do leste angolano, pela floresta alta de mato duro e grosso, pelo deserto, e pelas montanhas. A perna sempre ia à frente, a saltitar como o gato das botas, e a rir do Álvaro, Álvaro perneta, Álvaro sem perna, Álvaro a pular, Álvaro a ficar sempre no mesmo lugar. A imponência daquela árvore, seu tronco ousado, sua solidez, fincada num mesmo sítio durante anos e depois décadas e depois séculos e por milênios, o fizeram pensar que estar parado não era de todo o mal. Ter raiz é que era bom, para que a alma sempre soubesse para onde voltar ao fim das andanças.

Assim que convalesceu, sabia que não poderia passar sem retratá-lo. Sim, fazer o retrato ao imbondeiro, como se fosse gente. Tinha mais personalidade do que muitos que conheceu por aí, e que andavam sem propósito para lá e cá, feito besta. Fez rascunhos num caderno que mantinha sempre consigo, e quando foi transferido para Luanda pediu a amigos que lhe arrumassem material de pintura. Daquele imbondeiro já não mais se esqueceria. Na infância fazia de memória esboços do pai e da mãe, dos homens que cultivavam uvas e delas faziam vinhos, e das viúvas cobertas de preto curvadas feito os troncos de videira, lentamente subindo a estrada que dava à igreja no alto do monte. Desde que fugiu de casa e foi para Lisboa a pé nunca mais havia voltado, mas lembrava-se de cada detalhe daquela terra chamada Vermelha, e dizia que um dia ainda iria voltar. Em Lisboa estudou artes gráficas e começou a trabalhar como compositor do jornal do partido, mas ao final do expediente, fazia caricaturas e por vezes pintava à tinta da china. Em contato com alguns artistas já mais velhos e engajados, conheceu os trabalhos de Rodchenko, El Lissitsky, Tatlin e Malevitch. Nas noites após as reuniões do partido e da composição do jornal surgiu um estilo que os demais artistas gráficos do movimento denotaram como promissor. Antes de zarpar para África já havia participado de algumas coletivas, sempre ligadas ao partido e ao movimento para uma arte proletária e do povo. Nunca havia pensado em pintar o retrato a árvores, ou mesmo a pessoas. Isto era coisa para burgueses e aristocratas, vangloriando-se de sua altivez e de sua estirpe. Bem fez aquela malta que decapitou os tais aristocratas em França, e os gajos que deram fim em Lisboa ao rei Carlos, o Primeiro e Último.

Foi África, ou melhor, uma mina antipessoal enterrada próxima a um dos pés de uma torre de transmissão, que o levou a uma pintura que nenhum construtivista ou suprematista poderia antever. Esqueceu-se de tudo aquilo, pois o discurso não cabia no que havia de pintar, que era o imbondeiro. Mais do que isso, e sua grande ambição, como a captura à Moby Dick, havia de pintar o retrato à sua alma. Esta era como a sua perna, sempre à frente, sempre a rondar e incitar, porém sempre fora de seu alcance. Virou uma verdadeira obsessão pintar este retrato ao imbondeiro que revelasse quem era por dentro do tronco. Seus bastidores, enfim, o que havia por trás daquele casco, aquela beleza sólida que nem mesmo Tatlin, com suas colunas, teria imaginado. Olvidou-se por completo daquelas colunas em espiral do russo, que tanto o faziam lembrar a maldita torre de transmissão.

Enquanto os outros soldados do Exército Colonial, conforme iam sendo dispensados do combate, ilesos ou não, apanhavam o primeiro cargueiro para Lisboa, Álvaro não tinha a mínima pressa. Voltar para ver a cara de vampiro de Salazar em todas as repartições públicas, na televisão, nos jornais? Preferia pintar seu imbondeiro com as tintas que conseguia comprar, com os contos que obtinha dos retratos que fazia dos sargentos e coronéis, vaidosos que se punham de farda e pose heroica tal qual os conquistadores, tal um Vasco da Gama entre os Marajás. Álvaro detestava aqueles retratos mas era sua única forma de poder comprar os carvões, grafites, óleos e aquarelas e telas onde fixar seu verdadeiro trabalho, capturar a alma ao imbondeiro.

O perneta havia enlouquecido na mata, diziam seus congêneres. Foram muitos os que padeceram desta chaga, mesmo quando sobreviviam ao combate. Voltavam a Portugal e ficavam à margem do Tejo, em alguma tasca no Barreiro, a admirar moinhos na maré baixa tal qual aquele parvo dos livros. Este cá já não voltava mas ficava a admirar aquela árvore que era tal qual um moinho, porém sem mesmo uma utilidade. Pois que o pintor perneta gostava de pintar o retrato àquela árvore, aquela bojuda, de feitio meio estúpido, como o dos nativos. Algum mosquito havia lhe picado, ou algum verme se alojado em seu ventre, ou a febre havia chegado ao cérebro. Eram miríade os diagnósticos pseudocientíficos para tentar racionalizar e justificar aquilo.

Álvaro agora por estes tempos crescia uma barba que ainda lhe saía vermelha, mas que depois se tornaria branca, como a um velho druida. O ar de druida ele preservou, mas a crença no comunismo foi desbotando, principalmente ao ver a fraternidade e a camaradagem se resvalarem para o individualismo selvagem com os anos que desembocaram no fim da guerra e nos atuais. A crença já vinha com sérias nódoas que pesavam sobre o manto da fé: Varsóvia, Budapeste, Praga, Alexander Solzhenitsyn. Mas foi ao ver os kotas do partido começarem a pilotar Volvos—pilotar não, serem pilotados por motoristas que usavam luvas brancas—enquanto a malta se espremia nos Hiace e nos gira-bairros, que a fé se desmaterializou. Os amigos ainda recebia no quintal da casa da Maianga para relembrarem o tempo da camaradagem, amigos de todas as estirpes, cores, afiliações, alguns já quase espectrais sem o saber, que comiam a muamba de Dona Eunice e bebiam seu café bem passado. Nunca se chateava com nada nem ninguém.

Pintava ouvindo música clássica, de preferência Beethoven, lá em cima no estúdio sobre a laje da edícula, isolado, como num ninho de pássaro no alto de algum imbondeiro, sorvendo lufadas frias do aparelho de ar-condicionado que nada tinha a ver com o ranço que se respirava na Maianga. Quando foi em combate uma vez ao sul de Angola, quisera ficar por lá e nunca mais ir embora. Como era fresca a noite no deserto, e como eram tantas as estrelas! Dali da edícula fincada no meio da Maianga poucas estrelas via pela janela. O bom era ter um teto de vidro, mas tinha certeza que os miúdos dariam jeito de lançar calhaus e que os pássaros iriam sujar tudo aquilo. Quisera viver no deserto do Namibe, na reserva do Iona, junto aos Herero, estes sim homens que sabiam dividir, e serem iguais. Eram os verdadeiros comunistas, talvez por terem tão pouco o que dividir. Dizia que ali nasceu o primeiro homem e que este já nasceu comunista. Não conheciam o lucro, nem a ganância. Andavam longas distâncias, mas não encontravam outras tribos com coisas distintas para fazerem trocas. Nas terras ainda habitadas por tribos de caçadores coletores khoisans, que realmente eram o elo com os primeiros homens, e por onde andou o botânico Welwitsch nos idos de 1850, ele se deparou com aquela que fascinou o austríaco, que acabou tornando-se seu pai científico. Era a *Welwitschia mirabilis*. Havia ficado em sua memória a beleza singela daquele ser. Entretanto passara com a tropa, e não houve tempo para contemplações maiores. Seguiu em frente, para outra frente de batalha contra os insurgentes locais. Foi somente ao pintar o imbondeiro que teve a ideia de também a ela retratar. Sempre pensou o imbondeiro como macho, e a welwitschia como fêmea. Era preciso equilíbrio. Assim acertava as coisas. Buscava a alma de uma entidade misteriosa das matas, e também de outra que parecia auscultar os rumores nas profundezas do deserto.

Na sua biblioteca possuía os escritos do botânico austríaco que descobriu e estudou aquela planta que habita o deserto e tem um ritmo de vida tão lento, para o ser humano, que facilmente atinge os mil anos, assim com os imbondeiros. Estava ali a peça que lhe faltava. Seus quadros ganharam em escala, e em intensidade. No entanto passou a pintar menos. Um Álvaro Seabra passou a valer muitíssimo, por ser algo escasso. Galeristas em Lisboa, Madri, Berlim, Bruxelas, Amsterdam e Paris desciam até Luanda para saber se ele havia terminado algo novo.

Dona Eunice recebia aqueles homens todos em sua sala, passava seu café, as miúdas ainda pequenas a brincar com bonecas, e Álvaro demorava no estúdio horas a fio, sem pressa para os atender. Fumavam seus cigarros, um após o outro, até verem finalmente aquela figura de barba vermelha com fios brancos já encontrando espaço, descendo lentamente a escada da edícula com uma túnica branca, sem nada por baixo, e umas chinelas pretas surradas, o beiço caído com a cigarrilha e a cinza do cigarro a fazer curva, desafiando o ar pesado da Maianga. Quando havia pouco café e as miúdas pareciam que estavam há muito com a mesma roupa, ou quando Dona Eunice dizia que tinha alguma irmã ou tia adoecida, Álvaro fazia um preço alto. Quando tudo parecia bem, e Dona Eunice nada dizia, ele sentia vontade de dar o quadro ao galerista, mas sabia que uma das miúdas poderia apanhar paludismo ou ele mesmo poderia precisar comprar mais telas e tintas, então fazia cara de árvore para a oferta do galerista. Não gostava de dar preço, negociar, elevar o valor de algo que fazia pois tinha que fazer. O galerista entrava em pânico, achando que outro viria e compraria aquele Álvaro Seabra novo, e por fim aumentava seu lance consideravelmente. Álvaro ficava meio sem jeito, mas detestava cansar-se com este tipo de assunto, e acabava por aceitar.

Os galeristas pagavam sabendo que na Europa conseguiriam vendê-las por um valor ainda maior e valorizar ainda mais a obra de Álvaro Seabra. Um deles sempre insistia em ser o agente do pintor. Mas que caraças que sempre me vens com a mesma história de seres meu agente. Eu lá sou uma atração de circo ou um ator de Hollywood, o que dá quase no mesmo? Sabia muito bem que Picasso, comunista de carteirinha, extraía valores altíssimos por suas obras, mas ele não era Picasso, nem acreditava que Picasso fosse realmente comunista, senão por conveniência, pois todos os artistas o foram num dado momento no século vinte. Seu preferido sempre fora Van Gogh. Seria Van Gogh comunista se tivesse nascido tempos depois, contemporâneo a Picasso?

Houve outro, um espanhol, baixinho, com face de doninha, que fumava sem parar, mas trazia bom tabaco, e gostava de uma chávena de café atrás da outra para acompanhar o cigarro. Deste Álvaro chegou até a desenvolver uma certa simpatia, até o dia em que o homem cismou em verter Fernet no café de Dona Eunice, os olhos bem úmidos como o focinho de um cão, e com os lábios embebidos em café e tabaco, disse "veja lá, Álvaro, nunca pensaste em deixar um pouco de lado estas árvores bojudas e pintar esta belíssima senhora que tens em casa, esta deusa em ébano com o sorriso de uma estátua grega, uma verdadeira Vênus de Milo, uma Vitória de Samotrácia..."

Álvaro não o permitiu terminar a frase, e tampouco retornar àquela casa. Vitória de Samotrácia era aquele homem, um acéfalo.

Às vezes ainda sentia as tais dores na perna que não existia, ou que existia apenas em sua memória. Preferia assim, não tinha saudade dela. Desta forma, criou raízes em Angola. O mal do homem é ter perna demais. Anda muito, e sempre descobre que tem um lugar onde não há sal, ou açúcar, ou vinho, ou trigo, e resolve fazer dinheiro da escassez do outro. Ele não, resolveu ficar parado, o mais parado possível, para ver se conseguia ouvir o que o imbondeiro e a welwitschia estavam a dizer. Era pintando que captava as vibrações, ou melhor, era tentando captar as emanações das árvores que o pincel lhe guiava sobre a tela com a tinta da china ou a aquarela ou o óleo. Ele passava por fases de tinta da china, fases de óleo e fases de aquarela. Muitas vezes no mesmo dia. Iniciava um traço em óleo e o terminava em aquarela. Era o que a árvore lhe dizia. Ele apenas capturava e registrava, como a agulha a um aparelho sismológico capturando o balbuciar ou o grito das rochas.

Não percebeu quando a barba havia ficado inteiramente branca. Dona Eunice continuava do mesmo jeito que a encontrara, numa festa do Carnaval da Vitória na Marginal, uma moça então com faixa amarela no pescoço, e lhe pareceu a pessoa dos olhos mais puros que os seus já haviam avistado. Álvaro naquela época tinha um ateliê na Baixa, num galpão abandonado, onde dormia e pintava, e em poucos minutos estavam os dois ali, sobre um colchão velho, germinando a que seria a primeira de duas flores. Com o sucesso dos primeiros quadros e com os prêmios comprou a casa na Maianga, e dali não se moveram mais. Suas andanças eram agora decifrar a alma do imbondeiro e da welwitschia, e trilhar os caminhos de Welwitsch ou Livingstone ou Magyar, onde ele mesmo esteve, no tempo em que andava demais. Agora somente seu espírito viajava. Talvez seria por isso que o chamavam de bruxo ali na Maianga, quando avistavam aquela túnica branca sob a qual ele parecia flutuar com aquele tronco delgado por sobre o qual se levantava aquela barba feito musgo e sempre aquela curva de cinza na ponta da cigarrilha. Além disso pintava imbondeiros, todos sabendo que aquilo era árvore de bruxo, antro de espíritos, que dentro do tronco habitavam e de noite saíam para chacoalhar as múcuas e os pés de quem estivesse a namorar na relva. De poucas palavras a estranhos, recebia gente ainda mais estranha, que parecia vinda do passado, gente que lembrava negativos quase decompostos, que sabia demais, tinha visto demais, vivido demais, e o tempo não havia conseguido derrubar. Eram antigos combatentes de todas as facções que ali vinham a visitar o bruxo, cuja única magia nisso tudo era conseguir reunir tanta gente que no coletivo se odiara mas que no pessoal se abraçava e bebia copiosamente, como fazem aqueles que dão de beber às suas almas.

Assim que Thomas chegou naquela casa, Álvaro deu de pintar somente a welwitschia. O imbondeiro nada queria com ele. Ele tentava, sussurrava os sons dos guizos da múcua para tentar amansar o imbondeiro, mas não, era inútil, parecia que se distanciava, se calava, voltava pra dentro do tronco, e guardava a água só para si, secando a todo o resto. A welwitschia havia se acostumado com o jeito do imbondeiro, e aprendido a extrair a água das entranhas da terra. Aprendera a tomar distância do imbondeiro, deixando a ele seus campos arenosos onde podia sorver à vontade toda a água ao seu redor e armazená-la, em detrimento das outras árvores, enquanto que a welwitschia refugiou-se no deserto, na relva de areia, onde reinava absoluta e imperturbável por milênios, até o tempo dela se olvidar. Alguns diziam que ela era como o amor verdadeiro, que a tudo sobrevive, sob qualquer clima, e quando o mundo todo se tornar um deserto, ainda assim existirá.

Álvaro ficou inquieto com aquele estranho acontecimento. O imbondeiro sempre havia sido seu amigo, ou pelo menos aceitava seu cortejar, suas trovas, seu delírio. Aquele silêncio, um estranhamento, deixou-o ansioso. Fumou mais do que o normal aquele dia, e com Thomas bebeu uma garrafa que havia guardado há muito, para um dia em que esta fosse necessária. Era um vinho da sua terra, Vermelha, que havia sido dado por um parente na última vez que a Luanda viera, dizendo que era seu melhor vinho, da melhor safra, da melhor parte do vinhedo, das vinhas mais velhas, onde a colina se desmanchava e um cheiro de sangue exalava da terra, alguns dizendo que na Antiguidade aquele campo fora local de batalha entre romanos e os bandos de Viriato, líder da tribo lusitana. Era vinho de batalha, e Álvaro estava em batalha com o espírito do imbondeiro, que o queria abandonar, depois de tantos anos de convivência pacífica.

"Venho de uma terra que se chama Vermelha. Não é à toa que sou comunista."

Thomas achou graça em tudo aquilo que o velho dizia, e teve a impressão que não era a primeira vez que ele usava aquela frase. Havia gostado daquele velhote tão pitoresco logo de cara, pois era honesto e simples, como Romain. Como estaria Romain agora, em meio a toda aquela calamidade, aquele solo úmido demais para uma boa safra, e os vizinhos se lamentando de mais um ano perdido, alguns já pensando em vender tudo e desistir.

"Olha, como se chama esta mulher que vieste cá ver?"

"Marisol."

"É casada?"

"Não sei. Não me parece, ou então está muito infeliz."

"Há alguém na vida dela."

A Thomas lhe pareceu por um instante que estava frente a um daqueles adivinhos.

"Como sabes?"

"As árvores contam histórias. Cabe a nós aprendermos a ouvir. Hoje que andamos tão rápido, perdemos a capacidade de ouvi-las, mas houve um tempo. Hoje já nada respeitamos, bicho ou árvore. O bicho homem esqueceu que é bicho e virou máquina. Máquina de fazer dinheiro e fazer os outros virarem máquina. Esquecemos a árvore. Ela também se esquecerá de nós, e sairemos perdendo."

Thomas achou muito bonito aquilo que o velhote dizia, mas um tanto fora de lugar. Queria falar sobre o vinho, que achou áspero, mas digno, honesto, um vinho que merecia ser melhorado, explorado, para poder vender mais, chegar a mais degustadores, a mais clientes. Havia ali Touriga Nacional, Tinta Roriz, e mais uma, que não soube definir. Seria Castelão, Tinta Barroca, Touriga Franca? Trincadeira, Aragonês? As uvas portuguesas eram fantásticas, tão diferentes das francesas. Era uma uva delicada, misturada às outras. Talvez nem o viticultor soubesse. Era mesclado em mínimas quantidades. Seria Grenache? Queria saber mais sobre o vinho e a região. Seria uva capaz de sobreviver ao caos climático que rondava o Rhône?

Mas Álvaro não havia terminado de falar sobre a árvore.

"Conheces o imbondeiro? Baobá, no teu idioma. Houve um escritor que fez um livro sobre eles, de como um rapazinho tinha que cuidar para que não tomassem todo o seu planeta."

"Sim, claro, é o *Pequeno Príncipe*, de Saint-Exupéry. Li quando criança. Lindo."

"Pois deveria ler novamente. Aquilo não é história somente para crianças."

Álvaro havia perdido um pouco da sua habitual cordialidade. Thomas se perguntava se havia sido um pouco afoito em aceitar a hospitalidade do velho. Talvez ele fosse um louco, inconveniente, que quisesse a todos catequizar, se não com seu comunismo, pelo menos com este ambientalismo insano, fazendo de sua casa um templo onde incautos eram induzidos a buscar refúgio, para então verem-se reféns do maluco, até tornarem-se seus apóstolos e seguidores.

Thomas não via nenhuma chance de se tornar comunista, quanto menos um ecologista. Sabia que o mundo passava por problemas, que sua vinícola havia sido vítima disto, mas nada poderia fazer para mudar o curso das coisas. As pessoas queriam consumir, os homens queriam lucrar, e ninguém iria parar para ouvir as árvores.

Somente um louco perneta que pintava retratos de árvores pensaria assim. Respeitava aqueles que tinham fé no comunismo, pois na sua região vários da velha geração tinham simpatia por aquela religião sem deuses, mas não se via entre eles. Se fôssemos anjos seria plausível, mas somos apenas primatas, e dentre os primatas há sempre privilégios e líderes. Tentou mudar de assunto.

"Como são os vinhos aqui em Angola? Há vinhos angolanos?"

"Há vinhos angolanos sim senhor, mas são horríveis. Os próprios angolanos preferem o vinho português. Mas por que mudas de assunto? Te incomoda falar das árvores? Achas que sou um louco? Achas que te trouxe aqui para te converter?"

Thomas preferiu deixar Álvaro continuar a adivinhar seus pensamentos, ou mudar de assunto por si só. Naquele momento sentiu saudade de Jan den Brok e sua ladainha sobre as brancas garotas de Cape Town e seu Pinotage achocolatado. Por que Marisol demorava tanto em retornar com alguma resposta, alguma indicação sobre o tão esperado reencontro?

"Isto é terra de café, ou foi um dia, antes da independência. Depois só se colheu tripas e bagos durante muito tempo. Agora estão a tentar ver se lembram como é que se planta. Estão na mandioca e no tomate, no feijão e no limão, na banana e no mamão."

"Sou um dinossauro, sei muito bem disto. Hoje em dia aqueles que defenderam o comunismo com unhas e dentes contra os do outro lado são iguais a estes, só querem saber de dinheiro, ou até mais, pois têm a sede dos que cruzaram o deserto. Querem é se locupletar com o ouro negro, hoje e amanhã também. Bom, por hoje é só. Não vais ver tua dama? Não vieste aqui para isto? Podes ficar aqui o tempo que quiseres, ou o quanto aguentares da minha rabugice. Vamos, termine seu vinho, não é nenhum Château Lafite mas é vinho com história."

As duas filhas em pontas de pé atrás da porta ouviam tudo, temendo que o francês se fartasse das demências do pai e fosse embora para ficar com sua dama. A mãe já estava no quarto, a ver no pequenino televisor onde a chuva era constante a telenovela brasileira já antiga passando pela TPA 1. Naquele momento o galã era confrontado pela vilã que o amava e que havia feito trapaça para o tirar dos braços da mocinha bela e inocente. Dona Eunice nada tinha a ver com as crenças de seu marido, pois quando estavam juntos ele era apenas um homem indefeso que a queria em seus braços. Isso de falar demais era viver de menos. Já era hora das duas filhas irem para o quarto da mais velha e deitarem-se, para irem ao colégio pela manhã. Estavam as duas ressabiadas com o francês, que tinha o aspecto de um lobo, com aqueles olhos descoloridos, aquele cabelo cinza e aquele nariz de farejador. Um lobo parvo que também deveria deitar-se para deixar seu marido vir ao quarto.

Thomas ficou impressionado com a paixão do velho por sua ideologia, e o respeitava por isso, como se respeita um padre dedicado a uma paróquia que lentamente deixava de existir, assim como a fé do seu rebanho. Se Thomas tinha alguma espécie de certeza, era na avidez humana. Não se interessava por religião ou política, apenas as viam como manifestações da natureza humana, na necessidade de se acreditar em algo, e na organização da sede pelo poder. Esquerda ou direita, apenas expressões da sede pelo poder.

Onde estaria agora Marisol? Ele já havia chegado a seu país, sua cidade. Foi se deitar, no quarto da mais nova, numa cama estreita, sobre um lençol exalando perfume de alfazema em exagero mesclado a sabão de coco. Nas paredes do quarto, pôsteres da Beyoncé e da Rihanna, CDs pirata das mesmas e de dezenas de artistas de kuduro e de quizomba ao canto de uma penteadeira repleta de frascos de perfume, a fonte daquele buquê que permeava o edredom, sobre a qual também havia um pequeno aparelho de som portátil. Não havia computador, nem um super aparelho de som, nem uma televisão, nem um iPad, ou os aparelhos que se espera num quarto de adolescente em França. No armário, onde Thomas procurou um espaço para tentar pendurar seu casaco, item supérfluo em Luanda, pendiam tops e justas camisetas amarelas, cor-de-rosa e vermelhas. Não havia um só livro no quarto. Revistas, estas sim, haviam, abundantes, em montes, em colunas, espalhadas, de celebridades brasileiras e angolanas, artistas de telenovelas e de moda. Tinha certeza que o quarto da outra não seria muito diferente. Colocou a mala contra a porta para não ser pego de surpresa por alguma visitante mais determinada durante a noite

Acordou com os sons da mais nova derrubando sua mala para entrar e apanhar as roupas de ir à escola. Pijama mínimo, um shorts e uma camiseta curta que lhe dava acima do umbigo, foi até o armário e respirou profundamente o cheiro da jaqueta de couro de Thomas, um cheiro novo para si. O cheiro de seu pai era diferente, um misto de tabaco com o sabonete de alfazema que todos na casa usavam e também uma perspiração que a fazia lembrar das tintas que se empilhavam no ateliê do pai. O cheiro dos rapazes com quem já havia estado era também um outro, de gasóleo das ruas, de cerveja Cuca e de candonga, e por sobre tudo isto uma colônia qualquer destas que ardia as axilas. O dos homens mais velhos era melhor, de couro curtido, misturado a essências, e o casaco de Thomas a fazia lembrar destes, mas ia além, pois trazia aromas desconhecidos. Este cheiro da jaqueta a lembrava dos filmes que via na tevê, quando passava a neve cobrindo os campos e as pessoas ficavam em casa frente ao fogo enroladas em peles. Ficou à frente do armário como que retida por este aroma, até que o movimento de Thomas fez ranger as molas da cama, onde ele havia dormido um sono intranquilo.

"Desculpe, te acordei?"

"Não, já havia acordado. Queres que eu saia?"

"Não, podes ficar. Só vou apanhar umas coisas para vestir e já te deixo em paz. Dormiste bem?"

Thomas fez que sim, mas a moça estava mais interessada no cheiro da jaqueta. Demorou o quanto pôde fingindo que procurava por uma blusa ou outra até se decidir, e finalmente se voltou para Thomas e sorriu, inocente, até bater a porta do quarto. Pobrezito do cãozito, havia dormido mal, talvez se ela o tivesse feito companhia teria dormido melhor. Mesmo com olheiras era lindo.

Thomas queria voltar a dormir, mas resolveu se levantar e prestar ajuda aos donos da casa. Encontrou Dona Eunice num vestido de sarja com motivos florais indo quase até as canelas e nos pés umas chinelas gastas, suas mãos muito bem desenhadas orquestrando os utensílios que se usa para o preparo de um bom café. Talvez foram as mãos que seduziram o jovem Álvaro, das mãos tão brutas e rudes. Ou foram os olhos, que lembravam uma lagoa muito próxima de uma nascente, ou um riacho que corre por baixo da mata rompendo dos subsolos de uma colina de arenito por onde a água de milênios é filtrada até encontrar seu caminho para fora.

"Café?"

"Sim, por favor?"

"Queres saber do Álvaro?"

"Sim."

"Não te preocupes. Ele só se levanta mais tarde. Dorme mal à noite, sofre de insônia e de refluxo. Coisas de quem bebe e fuma."

"O café está muito bom. É angolano?"

"Sim. Angolano. Ficas para o almoço?"

"Não sei."

Thomas queria ter a resposta para dar a Dona Eunice.

"Tu também pareces que não dormiste lá muito bem. A cama era muito dura? Perdoe-nos, somos gente simples."

"A cama estava perfeita. Eu é que estava com muitas coisas na mente."

"Bebe o café. Vai te despertar."

Thomas bebeu e também comeu umas bolachas meio ressecadas. Foi então que ouviu do quarto da mais nova a vibração do seu celular sobre um dos CDs da miúda, onde o havia posto para carregar na tomada.

Era o número de Marisol.

"Meu amor, por fim chegaste! Me desculpe por ter demorado a responder. Quero te ver agora mesmo. Chegaste em boa hora. Estou de férias, ou melhor, entre projetos."

Thomas não sabia o que dizer. Talvez agora teria a resposta para dar a Dona Eunice sobre o almoço.

"Dá-me o endereço de onde estás que passo ainda agora para te apanhar."

Thomas o fez, e só voltou a respirar quando um Toyota Prado com os vidros escurecidos parou na frente da casa de Álvaro.

Ela conhecia cada uma das ruas daquele bairro. Era a sua Maianga, que um dia ela amara incondicionalmente, mas que agora em seu coração perdera espaço para um homem, que era a única coisa em que acreditava naquele momento, além de um destino cruelmente ligado a um imbondeiro.

Dona Eunice não iria esperar Thomas para o almoço. Tampouco para o jantar.

Thomas se deparou com aquela mulher que lhe pareceu maravilhosa na Cidade do Cabo, e deslumbrante na vinícola de Jan den Brok, mas que agora parecia outra, cheia de sombra.

"Como estás, meu amor?"

"Não via a hora de te ver."

"Estás com o ar cansado. Dormiste mal?"

"Sim, quase não dormi, a pensar em ti."

"Eu também. Via-te em todos os meus sonhos e acordava para ver se estavas ao meu lado."

"Agora estou."

"Então estou realmente sonhando."

Foram para um hotel na Rua da Missão, subindo até o restaurante panorâmico. Thomas pensou que iriam para um quarto, mas Marisol sugeriu algo distinto. Era cedo para almoço, e Thomas nada mais queria do que degustá-la novamente, porém pensou que ela quisesse torturá-lo com conversas e uma refeição antes de finalmente se verem a sós. Ela parecia ser uma velha conhecida dos garçons daquele local. Já sabiam suas preferências em pratos e vinhos, avisando quais haviam em estoque. Pareceu a Thomas que naquele dia o cardápio era por demais otimista em comparação ao que realmente havia disponível. Marisol disse apenas que hoje quem iria escolher seria o seu convidado.

Thomas olhou para a carta de vinhos, com nomes totalmente desconhecidos para ele, de vinhos portugueses quase que na totalidade. Já havia bebido um vinho português, na noite anterior, com Álvaro, seu vinho áspero da terra Vermelha. Olhou os preços das garrafas e se assustou, achando que não fizera a conversão de kwanzas para euros corretamente.

Marisol, como que lendo seus pensamentos, disse para não se preocupar com os valores pois ali ele era seu convidado.

"Venho sempre a este restaurante. Daqui vê-se o mar, estamos mais próximos das nuvens."

Thomas bebia as palavras de Marisol, deixando o vinho em segundo plano. Bebia os olhos dela também, e esperava as mãos dela surgirem acima da mesa para poder segurá-las. Ela estava ali à sua frente, falava com Thomas, usando um vestido curto, negro, com um decote em V, suas pernas cruzadas abaixo da mesa. Quando entendeu que nenhum garçom estava a espreitá-los ela rapidamente passou a ele um envelope. Depois continuou a falar sobre o mar na contracosta do Mussulo, o Morro dos Veados, o Cabo Ledo, e as praias de Benguela, Caotinha, Baía Azul, e seguindo mais ao sul o Dombe Grande, terra dos feiticeiros. Ele guardou o envelope mecanicamente sobre as pernas, por baixo do guardanapo e não mais pensou nele.

Um garçom serviu o pedido da mesa, arroz de mariscos, e foi então que Thomas se interessou pelo vinho branco de Setúbal, apaziguante, fresco, levemente evocando maçãs. Logo se viu novamente relembrando o sabor da boca de Marisol.

Somente ela falava, e Thomas retinha-se na cadeira de vime, tentando absorver o que fosse possível daquela mulher que já estivera tão perto de seu corpo, que já estava dentro de si, mas que agora estava do outro lado de uma mesa. Apenas seus olhos indicavam o que escondia o rosto da Marisol executiva, diretora de um departamento na Sonangol, mulher acostumada a deixar claro seu posicionamento num ambiente masculino e machista.

Thomas não percebeu quando os copos e os pratos foram retirados e a sobremesa foi servida. A tarde seguia clara e úmida, de uma luz branca, mas o salão do restaurante, de iluminação natural, projetava silhuetas em todas as direções. Thomas lembrou-se dos contornos da pele de Marisol sob a pele de leão na casa de Jan, mas com um movimento dela, sinalizando a um garçom que gostaria de pagar a conta, notou como era triste o semblante daquela mulher. Em alguns anos isso se acentuaria e toda a exuberância jovial que ainda dominava sua pessoa teria desaparecido, e algo que ele não queria imaginar estaria em seu lugar. Ela seria uma pessoa infeliz e isso seria evidente em seu rosto, seu olhar, e em tudo que fizesse. O que se passava com Marisol que ela agia desta forma? Por que o chamou então? Esperava um mistério, talvez um casamento em ruínas, até filhos, mas não uma esfinge, que lhe desafiava às avessas, decifra-me ou devoro-me.

Levantaram-se e no elevador ela manteve a postura de diretora. Somente quando estavam novamente no carro, por trás dos vidros completamente negros, ela se abriu como uma flor e se beijaram.

"Qual é o problema? Ou melhor, como ele se chama?"

Marisol riu, mas sem alegria.

"Por que achas que sou casada?"

"E não és? Por que tanto mistério, fingir que somos apenas amigos ou estamos discutindo negócios?"

"Creio que o melhor é mesmo apresentar-te a uma pessoa. Uma pessoa muito especial. Ajudou-me muito na vida, desde a infância.

Cá em Angola, se não tiveres alguém especial a ajudar-te, as coisas podem ser muito difíceis. Eu não teria tido a oportunidade de estudar fora. Eu tenho um anjo protetor. Ele se chama Eri. Somos amigos desde que estávamos na primeira classe. Estamos juntos desde então. Como posso dizer-te? Ele tem um carinho especial por mim."

"Ciumento?"

"Seria bom se fosse simples assim."

"Vocês já..."

"Não é o que tu pensas."

"Ele é um magnata dos petróleos?"

"Cá em Angola temos os heróis da guerra. Os generais. Já ouviste falar algo sobre eles?"

"Fiz algumas pesquisas, mas nada muito intenso. Sei dos partidos, da guerra, do petróleo, mas nada muito além disto."

"Pois bem. Eri é filho de um grande herói angolano, muito querido pelo presidente."

"Isto abre portas."

"E as fecha também, com muita facilidade."

Despediram-se rapidamente. Ela iria buscá-lo no dia seguinte para o encontro. Ele sentiu-se como quem iria ser apresentado ao pai da noiva.

A mais velha abriu o portão verde descascado e rabiscado a giz branco, brincadeira dos miúdos da vizinhança, que haviam ali desenhado um bruxo.

"Então então, tás a curtir Luanda, meu francês?"

"Thomas, por favor. Sim, obrigado. Como foi a escola?"

"Já não ando na escola. Estou na faculdade de enfermagem. Mas estamos sem aulas. Greve de professores."

"Parece até a França."

Marisol despiu-se e sentiu o cheiro de Thomas em alguns pontos do vestido. Nem precisava do tecido pois tinha aquele aroma registrado em sua memória e dele não se esqueceria. Entrou na ducha e deixou a água cobri-la como um manto de linho grosso.

Quando saiu do banho, sob a névoa de vapor, alguém estendeu uma toalha felpuda a ela.

"Obrigada."

"Não tem de quê."

"Esperas lá fora?"

"Sim, claro."

Quando saiu do toalete, Marisol viu um vestido Dior deitado por sobre o lençol branco.

"Gostas?"

"Eri. Precisamos conversar."

"Sim, quando quiseres. Mas não respondeste."

"Sim, gosto. Obrigada. Alguma ocasião especial?"

"Para o nosso aniversário de vinte e cinco anos."

"Bodas de prata?"

"Queres que te faça o nó atrás no vestido, alma gêmea?"

"Pode deixar. Creio que dou conta."

"Dás nada. Deixa lá."

"Se insistes."

Eri em questão de segundos puxou os cordões do vestido de Marisol, envolvendo a estrutura perfeitamente à volta do corpo dela e os levou acima para então concluir com um laço.

Uma marionete teria mais autonomia.

Eri, com polegar indicador e médio pendendo de seu braço em arco, girou Marisol à sua volta.

"Olha lá, o francês, está de volta. O papá não o assustou", falou a mais nova. Estava visivelmente feliz, quase pulando de alegria e na ponta dos pés puxou Thomas para dar-lhe um abraço. Thomas sentiu-se um dos rappers nos pôsteres colados na parede do quarto da miúda, sendo abordado por uma fã.

"Larga lá o rapaz, ele já tem compromisso", disse a mais velha.

"Mas não sou ciumenta."

"És sim. Então por que não deixas ninguém chegar perto do Damásio?"

"Que Damásio?"

"Ora, não sejas parva."

"Chega."

Era o bruxo, do alto da escada do ateliê.

As duas entraram, para disputar a programação da tarde no televisor.

Thomas subiu atrás de Álvaro.

O velho ofereceu um copo de ginjinha.

"Toma lá Tomé. Não é veneno."

"Obrigado. Gosto de cerejas."

"Sei do que gostas. A dama está a dar-te um baile?"

"Algo assim. Diz que tem um amigo de infância, um tal de Eri. Filho de um general."

"Tás lixado. Sabes o que significa 'tás lixado'?"

"Imagino."

"Pois bem, tás lixado. Te meteste com a dama do filho do general Makarov. A preciosa. A que ele guardava."

"Guardava? Para si?"

Não quis contar a Thomas que o imbondeiro afinal havia voltado, porém a tela ganhava cada vez mais contornos negros. Agora tomava toda a tela. Não havia mais espaço para nada. Só tronco. E sombra. Nem uma nesga de galho quanto mais de múcua. Estava com os punhos e os antebraços todos manchados de tinta da china e grafite, mas acreditava que teria que usar carvão. Não estava a dar conta de tanto negrume. Algo ia mal para o imbondeiro. Ou para eles todos. Não sabia bem ao certo. Estes anos todos pensava que compreendia o imbondeiro, mas talvez fosse ao contrário. Ele a o investigar, a o descortinar, e ele crente que estava a penetrar seus segredos. Já a welwitschia era ao contrário. Desde sempre abriu-se em flor, deu-lhe a gota d'água que tinha, e até seu perfume secreto. Saberia Thomas que ela canta? É que seu canto é muito suave para nossos ouvidos. É canto para as areias do deserto onde vive, para ninar os grãos de areia e os lagartos. Disso nada entendiam aqueles que não paravam para ouvir.

Thomas olhava para os livros na estante, para *O capital*, para Voltaire, Montesquieu, para se certificar de que aquele homem não era louco.

"Mais um?"

"Sim, obrigado."

A ginjinha animou Thomas moderadamente, ele que só conseguia pensar em Marisol e no encontro do dia seguinte.

"Podes me falar um pouco sobre Eri? Sobre o general?"

"Que queres saber? É gente graúda, realeza, coisa que já não sabes o que é, pois os teus antepassados cortaram-lhes a cabeça. É pena que os descendentes daqueles que seguiram as ideias de Voltaire hoje fazem negócios com déspotas do mesmo naipe que os reis de França. Vendem suas avenidas, suas equipas de futebol, seus châteaux, vendem armamentos para aqueles que oprimem seus povos."

De louco esse velho tinha muito pouco. Porém os idealistas eram gente difícil de lidar. Seu pai era um pouco assim, acreditando no seu vinho plebeu e na "mão de Deus." Vinho honesto de gente honesta para bebedores honestos. Thomas queria produzir um vinho aristocrata para colecionadores que faziam fortuna da forma como é feita grande parte das fortunas.

"Gosto de ti, Tomé. Tens coração, apesar de não saberes onde ele se aloja. Podes ficar aqui o tempo que quiseres, já te disse. Sei quem é a moça. É da vizinhança. Conhecia a tia. Foi amante de um companheiro, que faleceu no combate."

Parecia que ali todos se conheciam. Haveriam segredos entre esta gente?

Eri sugeriu a Marisol que parasse de trabalhar e liderasse a fundação que seu pai havia constituído para apoiar os desfavorecidos da nação. Ela poderia ir distribuir batas escolares no Moxico, dar palestras sobre higiene para mães no Uíge, ensinar como reutilizar garrafas de PET para construir móveis e permitir que famílias pudessem incrementar a renda, ensiná-los a fazer artesanato ou mel. Havia muito o que fazer. Por que não o apoiava nesta empreitada tão louvável e importante? Era muito maior do que chefiar um gabinete de contratos internacionais. Era o futuro do país.

Marisol pediu tempo para pensar no assunto.

"Sabes. Estou muito interessado nos vinhos. Quero começar a produzi-los em sério. Não como o pai, com a fazenda do Kwanza Sul, e aqueles tugas que se acham os sábios da vinha. Só fazem o que sempre fizeram."

"E já não é o bastante? O vinho não agrada?"

"O vinho tem que conquistar. Conquistar território, como as divisões de meu pai na guerra."

"Serás o general das uvas? O comandante das safras de elite?"

"Tens piada. Estás linda neste vestido. Não achei que fosse servir. Mas estás sempre linda, exuberante. Nada te abala. És a flor que vive para sempre."

"Vou contratar um enólogo. Um dos bons. E não será tuga, senão não nos respeitará. Os tugas são sempre assim. Aceitam nosso dinheiro, cobram caro, e mesmo assim não nos respeitam. Acham sempre que são os colonos. Estamos a comprar o país deles, os bancos, suas grandes empresas, e ainda assim se acham os colonos, e nós os escravos, os pretos de merda."

Não lembrava de ouvir Eri usar tal grau de expressão. Não era comum a ele.

"Vou contratar é um francês. Os franceses é que sabem. Fazem vinhos como ninguém. Os espanhóis só os copiam. Os tugas estão ainda muito distantes. Vou trabalhar com os melhores. Ouvi dizer que cá em Angola há um enólogo que veio estudar as terras. Se não prestar, mando-o para as terras do fim do mundo, estudar as vinhas da ira."

5
Pedras negras

"**MUITO PRAZER**, sou Eri. Ouvi dizer que és um grande enólogo."

"O prazer é todo meu. Bem, grande não posso dizer, mas enólogo confesso que sim."

Thomas geralmente detestava apertos de mão muito exagerados, mas achou apropriado no caso daquele homem mais alto do que ele, bem estruturado, num terno que demonstrava tanto sua solidez física quanto seu gosto por um estilo que se situava um pouco além da elegância.

"E o quê cá vieste fazer, na nossa Angola?"

"Bem, vim estudar solos para o possível cultivo de uvas para vinhos. Creio que há possibilidades em todos os locais do mundo, desde que se pesquise bem as condições climáticas, os solos, as variações de temperatura, entre outros fatores."

"Acreditas mesmo que é possível fazer um vinho de qualidade em Angola?"

"Não sei, mas é por isso que cá estou. Marisol e eu temos um amigo em comum, que atualmente está no exterior, então ela está me ajudando a fazer a viagem um pouco mais agradável. Sei que se conhecem há muito tempo."

"Conheço todos os amigos de Marisol. Não me recordo de nenhum que esteja no exterior atualmente, mas enfim, sim, Marisol e eu somos almas gêmeas. Nossos destinos são inseparáveis."

Marisol mantinha-se calada, fitando e ouvindo os dois como se ali não estivesse, tentando mover-se ao mínimo. Seu único gesto era repor o gelo translúcido no copo d'água e levá-lo à boca. Foi no restaurante do pai de Eri que se encontraram, para almoçar bacalhau com natas e beber os Barca Velha e Pêra Manca das safras especiais, guardados na adega climatizada a quinze graus centígrados e geralmente consumidos sob ar-condicionado a vinte graus para temperar os oito graus de latitude ao sul do equador. Era vinho para as grandes ocasiões e para os amigos. Naquela madrugada houve falta de luz, e o vinho estava quente. Sem cerimônia, Eri mandava vir sequências de baldes da máquina de gelo, sob o estímulo do gerador que também impelia o sôfrego ar condicionado, todos operando para atender suas vontades.

Thomas observava com espanto e interesse a forma como no copo os cilindros ocos de gelo ganhavam uma tonalidade roxa ou negra dependendo da posição sob a luminária, que desfazia a luz vinda do centro em mil e um pingentes de vidro imitando cristal.

"Queres que Marisol te acompanhe em tuas peregrinações ao redor de Angola para pesquisar os melhores solos para o cultivo da uva?"

"Creio que não será possível, infelizmente, pois segundo me consta, ela tem um cargo muito importante, e não teria tempo para ser minha guia turística."

"Nada disso. Deixe isso comigo. Vai sim, e vai ser tua guia. Aposto que uma viagem faria bem a ela. Anda muito estressada com os petróleos. Outro dia observei em seu rosto uma ruga de preocupação. Precisa espairecer, passear um pouco. Por que não aproveitam e visitam alguns pontos turísticos cá em nosso país? Aposto que Marisol não os conhece, apesar de conhecer grande parte do mundo. Não conhece seu próprio país. Pronto, está decidido. Fiques tranquilo. Não andarás sozinho. E vai com meu motorista também. Se fura-te um pneu, Aarão troca. Qualquer problema, Aarão resolve. Irão com o Aarão."

Thomas apenas acenou com a cabeça. Eri se excitava ao fazer planos, enquanto cortava com lâmina afiadíssima e brilhante a ponta de um Cohiba Pirámides Extra. Ofereceu um a Thomas, e aos outros que ali estavam, em grande parte familiares ou agregados, mandou passar a caixa de charutos. O restaurante estava fechado para os clientes regulares, e naquela tarde só atendia o grupo seleto, à grande mesa de centro que se estendia quase que de ponta a ponta do salão pintado a patina em ocre, decorado com objetos de antiquário e reproduções das pirâmides, da Muralha da China, do Hermitage, e do Palácio de Versalhes. Thomas aceitou o charuto, e também o acendedor de ouro de Eri, que emitia um feixe de fogo azul. Deliciou-se com o sabor de ameixas no tabaco, e fez questão de incluir este entre os que desejava para seu novo vinho.

Eri sorria para Thomas, enquanto oferecia-lhe mais uma dose de seu Madeira especial, que nem mesmo o Gambrinus, em Lisboa, tinha. Na ilha comprou uma garrafa da safra 1792, a mesma oferecida a Winston Churchill na visita que fez em 1950. Marisol quase engasgou quando ouviu Eri mencionar seu grande herói político e a insuspeita conexão entre eles pelos charutos e pelo Madeira envelhecido.

Thomas ouvia a tudo, intrigado por Eri. Como era possível que naquele país tão devastado pela guerra houvesse gente assim? A Bentley estacionada do lado de fora era o sonho de muito colecionador em França. Eri falava sobre suas terras em Portugal. Possuía vinícola em Setúbal, ao sul de Lisboa, e também no Alentejo. Chamou um atendente e mandou vir do vinho de sua propriedade. Thomas o avaliou como ainda em estágio inicial de desenvolvimento, com muito espaço para melhorias. Entretanto, não pôde revelar sua opinião, e apenas acenou que sim com a cabeça enquanto Eri afirmava que seu vinho era muito bom mas poderia ser melhor.

"Quando é que querem partir? Hoje mesmo?

Esteja à vontade, Tomás. Gostaste do bacalhau? É norueguês, claro. Também nosso *chef* não é de cá. Mandei vir lá de Portugal. Com bacalhau não se brinca. Tem mesmo de ser um português a preparar. E o vinho, que tal o Douro? E o alentejano? Qual preferiste? Na França há melhores, de certeza. Mas como o Madeira não há equivalente. Entretanto, farás vinho bom por cá, seguramente. Não queres passar lá no meu gabinete mais tarde para conversarmos? Tenho algumas ideias que precisam da opinião de um expert. Vieste realmente em boa hora, meu caro."

Thomas poderia sozinho beber mais de uma garrafa de qualquer um dos dois vinhos, que insistiu provar sem cubos de gelo, e de fato estava excelente o bacalhau.

Marisol pouco comia e quase nada bebia, somente molhava com água os lábios, como se estes estivessem queimando, ou tivesse o coração à boca. Seus olhos estavam sem brilho e o sorriso como se nunca houvesse existido.

Quando parava de sorrir, Eri causava tensão às pessoas, que passavam a fixar-se em seus olhos, tão negros que convidavam ao embrenho. Refletia em suas pupilas o gelo oco banhado em negro que flutuava em sua taça de cristal. A taça ele chocava constantemente contra a de Thomas e só a pousava para lançar a mão forjada em bronze em direção ao seu atarefado aparelho celular recoberto em platina. A seguir, entregava-o a algum subalterno, que se distanciava da mesa para atender a cada chamado e dar seguimento aos assuntos em pauta. Thomas acendeu mais um charuto, e Eri ordenou que o servissem mais uma dose do Madeira. Ao devolver o dourado acendedor de charutos a Eri, este disse que era presente para o seu enólogo, que faria o melhor vinho de Angola. Queria tratar do assunto com a maior brevidade possível, no gabinete. Afinal decidiu o trajeto que Marisol e Thomas deveriam percorrer.

"Não sei se há terra boa por aquelas bandas, mas devem passar pelo Forte de Massangano, pelas Quedas de Kalandula, e pelas Pedras Negras de Pungo Andongo. Depois podem ir pela costa até Benguela, e então subir até o Lubango para conhecer a Tundavala. Sim, e por que não descer até o deserto do Namibe para ver a *Welwitschia mirabilis*, a árvore que nunca morre, a árvore de Marisol e Eri. Assim já fica com uma boa noção de grande parte das regiões de nosso país."

Findo o almoço, Marisol levou Thomas de volta à casa de Álvaro, e este, que estava na varanda a dormitar, acordou e os convidou para entrar.

"Não te lembras de mim, pois não? Frequentava a tua casa, a casa da Solange. Vamos, entrem, são de casa."

Álvaro fez questão que Marisol e Thomas subissem até o ateliê. Dona Eunice e as meninas ficaram na casa, cada uma delas examinando Marisol por razões diferentes, as mais jovens por vaidade, e a mãe por preocupação. Às miúdas pareceu-lhes que Marisol era mesmo uma linda mulher, com belíssimo vestido e sapatos, de dar muita inveja, ainda que possuidora de um triste olhar. Para Dona Eunice, aquela mulher, e aquele rapaz, eram o motivo pelo qual o seu marido estava tão estranho, inquieto, fumando sem parar, e também indo à adega à procura dos vinhos da Vermelha muito mais do que o habitual. Não gostou nada daquela reunião à três, cheirava-lhe mal, coisas de alcova, complôs. Angola não era terra para isso. Já foi o tempo da guerra, dos ardis, das emboscadas. Não queria Álvaro metido em nada daquilo. Ele já foi à guerra. Para ela, não faltava nada a Álvaro. Havia homens com as duas pernas que eram homens de menos comparados a ele. Ele era completo, e sempre fora, desde que se conheceram. Mas parecia-lhe que estava completamente tomado por um conflito interior, como ela nunca havia visto, que Álvaro não compartilhava. Isto a irritava e preocupava. Aceitava suas esquisitices, suas leituras, seus ismos e cismas, mas tudo ali acima no seu ninho de maluquices como diziam em brincadeira na mesa ao jantar. Mas agora, quando outros pássaros apareciam no ninho, e começavam a piar lá acima, já ia um pouco além de sua enorme tolerância. Aquele rapaz precisava ir-se embora, e levar consigo sua dama. Deixar seu marido em paz para vir a si no meio da noite como quem procura a água no deserto. Só ela sabia como era bom quando ele vinha a ela assim, sedento. Agora deitava no colchão e virava de um lado para o outro, murmurando, suando muito, e subia uma ou duas vezes a cada noite para o ateliê para gladiar-se contra uma tela. Nada sabia de pintura, mas via naquela tela um esforço e um sofrimento muito grandes. Via como Álvaro voltava exausto, exalando tintas, suor, acrílico, e dormia até tarde.

Até as filhas notaram que havia algo de estranho no pai. Intuíam que tinha certamente a ver com o francês do cabelo e olhos de lobo e da jaqueta que lembrava a neve que nunca viram, mas tinham medo de aceitar isso, pois ainda o queriam dominar. Uma delas haveria de vencer a outra, e também aquela mulher triste do vestido de capa de revista. O francês ainda não podia ir-se embora. Depois que fosse conquistado, e que ficasse louco por uma delas, aí sim, partiria para alojar-se às pressas numa casa de musseque na Samba, para telefonar à sua dama desesperadamente, gastando todas suas economias com prendas até sua ruína. O pai nunca quis dominar nada nem ninguém. Estava a ser dominado agora pelo imbondeiro, e isso ia contra tudo que havia dentro de si. Não se deixaria ser dominado. Já fora o tempo do Salazar, este sim a grande sombra pairando sobre Portugal. Já fora o tempo do Estaline, projetando sua enorme sombra sobre o que deveria ter sido o paraíso do trabalhador. Não seria em Angola que se abnegaria desta forma. Não era este o pacto que tinha forjado com a árvore.

"Quer dizer então que vão viajar? Vão nas pegadas dos meus mestres Livingstone, Welwitsch e Magyar. Livingstone no Golungo Alto lembrou-se das *Highlands* da sua Escócia. Lá encontrou o Welwitsch estudando suas plantinhas. Este quando foi a Porto Ambriz reclamou dos preços das mercadorias, mais caras do que em Londres! Isso nos anos 1850 e tal. Veja só. Dois séculos depois, continuam mais caros, ena pá! E o pobre do Magyar, foi casar-se com a filha do rei do Bié, com ela teve filhos, mas morreu o rei e ele perdeu todos os seus privilégios. Não se sabe nada dos filhos, e o homem morreu pobre, esquecido, em algum lugar próximo a Benguela, perto do Dombe Grande. O azar dele foi ter sido húngaro, e não inglês. Poucos deram atenção a seus relatos etnográficos e suas cartas geográficas. O gajo era um excelente etnógrafo, porém um péssimo geógrafo. Seus mapas estavam todos distorcidos. Bem, vejo que os estou aborrecendo com minhas divagações e repetições de velho."

Thomas pediu emprestado a Álvaro os livros dos exploradores que este tanto apreciava, para ampliar o seu conhecimento sobre os locais visitados. Iriam sair à estrada logo nas primeiras horas da manhã. Era preciso sair antes das cinco, para evitar a confusão. Aarão, o motorista de Eri, iria apanhar Marisol em sua casa e depois buscar Thomas na casa de Álvaro.

Se Marisol ou Thomas pudessem ver os olhos vermelhos de Aarão por trás de seus óculos de sol, talvez se perguntariam se era de sono ou por outro motivo. De toda sorte, o motorista iniciou o trajeto conduzindo como quem conhecesse muito bem a estrada, e a bem da verdade, transportara tropas das FAPLA nos tempos da guerra. Muitos dos seus confrades hoje penavam para conseguir um trabalho. Vários continuavam na vida de candongueiro, trabalhando para o dono da viatura, apenas aos sábados vendo-se livres para recolher para si a tarifa. Uns poucos tiveram a sorte de se tornarem motoristas de empresários e políticos, e também dos estrangeiros que vieram a Angola tentar fazer fortuna. Apenas por estarem presentes enquanto seus chefes falavam abertamente ao telefone, viviam numa situação atípica, possuidores de informações que pouco lhes serviam. Eram cúmplices sem o mínimo de poder para atuar sobre o que sabiam. As belas amantes dos chefes, e as somas mencionadas ao telefone, míticas para seus parcos ordenados, serviam-lhes para povoar um mundo ilusório, onde eram eles os verdadeiros chefes, donos daqueles carros, dos belos fatos, daqueles montantes e das damas que nunca sorriam por trás de seus enormes óculos escuros.

Enquanto Aarão lançava-se pela pista contrária para ultrapassar algum caminhão que burilava o trajeto em velocidade muito lenta, outros veículos vinham rapidamente contra o Toyota Land Cruiser de último modelo que Eri havia disponibilizado para sua Marisol e seu enólogo. Por vezes o intrépido condutor não conseguia a ultrapassagem, forçando os carros que vinham contra si a desviarem e saírem para a estreita pista de acostamento e para o mato. Thomas não sabia onde aquele homem havia aprendido a conduzir, mas não lhe pareceu que tivesse muito amor à vida. Viu-se quase a chocar com outros carros, cujos condutores buzinavam e deixavam no ar algum xingamento incompreensível àquela velocidade.

Thomas olhava atônito para Marisol, mas esta parecia uma estátua. Havia pouca distância entre os corpos, mas parecia que ela não estava no mesmo carro que Thomas. Depois, com o clarear do dia, ela escondeu sua face por trás de enormes óculos de sol. Thomas tinha vontade de ao menos pegar sua mão, mas manteve-se alerta, segurando-se para não se chocar contra o banco da frente ou o teto do carro devido aos buracos e à violenta condução de Aarão.

De ambos os lados da estrada, num longo declive que por fim abria-se a uma planície de vegetação mais rica do que a de Luanda, uma floresta de imbondeiros os saudou, ou acautelou. A estrada que percorriam rumo ao leste estava em condições lastimáveis, realizada por chineses com muita pressa e pouca precisão. Thomas estranhou que as estradas feitas na China eram esmeradas, e já esta parecia que fora feita da noite para o dia. Frequentemente Aarão cruzava para a pista contrária e seguia na contramão sem cerimônia alguma, pois a mão direita estava completamente intransitável, com buracos que faziam carros sumirem terra abaixo, como se engolidos. Enormes poças d'água tinham que ser contornadas em velocidade mínima, permitindo a contemplação macabra de carcaças de caminhões e ônibus carbonizados nos vales flanqueando ambos os lados da estrada. Thomas nunca vira cena similar. Aquilo era um museu de tragédias rodoviárias, e parecia que o motorista sentia prazer em os fazer passar por ali, o que não era verdade. Aarão transitara por aqueles percursos tantas vezes durante a guerra, e a cada curva revivia os tempos da tropa, sem dar atenção aos demais ocupantes do veículo. Aquilo era uma expedição em sua memória, recordando-se dos amigos combatentes que ali sucumbiram a emboscadas, a minas, a bala, a obus, ou mesmo a malária e fome. Estar vivo, e por estes caminhos passar, era reviver as escaramuças que teve com a morte.

Taciturno membro da tribo cuanhama, famosa por seus guerreiros valorosos, já há muitos anos não via sua terra natal, esta que ficava ao sul, na província do Cunene, fronteiriça à Namíbia. De lá partiu ainda menino, quando a tropa passou e o levou, sem mesmo o dando tempo de dizer adeus à mãe. Mais tarde soube que morrera, mas dos irmãos nunca mais ouviu nada, nem mesmo através do programa de televisão que passava onde tentava-se localizar os parentes perdidos. Dos costumes cuanhama pouco havia permanecido. Foi a tropa que o moldou, e após a guerra, a vida na cidade, sem qualquer amparo, nem mesmo a assistência aos veteranos, pois quem poderia se dar ao luxo de parar de trabalhar durante seis meses para cuidar da documentação exigida pela burocracia? Quando conheceu Eri passou a comer carne todos os dias, ter salário regular, e o fato de dormir no carro ou na garagem não importava. Era melhor do que viver no musseque na casa de bloco e teto de chapa com a mulher e os seis filhos. Por vezes passava lá e deixava alguma coisa para a mulher, mas ela conseguia sustentar o lar como doméstica numa casa no Maculusso, e os filhos iam vivendo da mesma forma que todos os outros, na rua. Uns vendiam coisas no trânsito. O mais velho havia conseguido estudar, e agora tentava uma colocação em alguma empresa, mas como não tinha conhecidos, ou cunha no idioma local, via-se com poucas oportunidades. Um ou outro foi ser candongueiro como o pai havia sido depois da guerra. Um foi tentar a sorte nos diamantes como kamanguista, e desapareceu. Outro foi a Cabinda e parece que lá apanhou uma doença e faleceu. Como tantos dos angolanos, avós não tinham, mas mesmo se tivessem, não havia tempo para o passado.

Apesar do silêncio completo de Marisol, das condições da estrada e da condução agressiva de Aarão, Thomas começou a divertir-se com o trajeto. Ao passarem pela cidade do Dondo, muito quente e úmida, às margens do rio Kwanza e local da cervejaria Eka, Aarão parou num bar e comprou uma garrafa para Thomas experimentar. Este a sorveu rapidamente e pediu mais uma. Achou misteriosas as velhas casas coloniais desabitadas e em avançado estado de declínio. Imaginou a vida como seria no tempo do colono, por trás dos esmerados portões e grades de ferro. Pediu para pararem no mercado ao ar livre de Cassoalala, com suas laranjas empilhadas em montes e bacias de mandioca, tomate, e banana, as vendedoras envoltas em panos, muitas delas amamentando, sentadas ao chão de terra batida frente a suas quitandas.

Próximo dali saíram da estrada principal e apanharam uma trilha até Massangano, forte português na confluência dos rios Kwanza e Lucala. Hoje restam apenas os escombros do forte, um par de canhões apontados para o rio, e uma velha igreja. No passado, Thomas apreendeu pelos livros de Álvaro, grandes batalhas ocorreram naquele local, que também serviu de prisão e entreposto de escravos obtidos nas buscas feitas pelo interior. Os portugueses ali se refugiaram quando os holandeses tomaram Luanda, até que Salvador Correia de Sá, vindo do Brasil, reconquistou o território para a Coroa. Thomas ficou fascinado com os canhões, imaginando os disparos contra alguma fragata vinda pelo Kwanza, e com a igreja, onde rezavam não mais do que um punhado de fiéis em trajes rotos e mínimos. A seguir, passaram por Lucala, por onde corre, vindo das Quedas de Kalandula, o longo rio que batiza a cidade.

Cacuso seria a próxima urbanização, até se chegar a Malanje, capital da homônima província. Estranhou como o país, duas vezes o tamanho do seu, era tão esparsamente povoado e tão pouco desenvolvido. Encontrou rapidamente a resposta. Encoberto pela vegetação, à beira da estrada, um tanque de guerra, suas lagartas há muito congeladas no ato de subir um aclive inexistente e seu canhão a mirar um alvo que nem fora necessário atingir com obuses, pois havia feito seu dano a várias gerações. Quis compartilhar com Marisol seu deleite com as crianças que brincavam nuas no meio da terra naquelas aldeias de casas de barro à beira da estrada.

Seguiam rumo ao leste, onde os esperavam as quedas de Kalandula e as Pedras Negras de Pungo Andongo. Marisol não abriu a boca durante todo esse tempo. Nem mesmo para contar histórias sobre os locais por onde passavam. Desde que viera para Angola, Thomas vira pouco, muito pouco, da Marisol por quem se apaixonara na Cidade do Cabo. Afinal quem era a verdadeira Marisol?

Thomas ouvia agora ressoarem as palavras de Eri, proferidas no seu gabinete embalado em vidro no cimo de uma das mais altas torres na marginal de Luanda cuja vista não era muito diferente da que testemunhara com Marisol no restaurante do hotel. Abaixo, na baía de Luanda, rente à Ilha, havia o casco de um naufrágio virado para cima, e sob a luz mínima que ainda resistia, lembrava uma grande rocha negra. O porto ocupava a paisagem do lado oposto com seus contentores e guindastes, e ao largo, os navios, apagados contra o borrão do mar salvo por luzes no convés, esperavam o atracar em fila de longa espera.

"Veja daqui de cima nossa Luanda, nossa marginal, nossos edifícios, que todos os dias crescem mais e mais, e surgem ainda outros. Estamos recuperando o tempo perdido. Temos o tempo e o recurso do nosso lado. Isto o temos, de sobra. Estamos a criar um novo país. O colono pouco nos deixou. Estamos a reinventar tudo. Não damos ouvidos ao que os de fora nos dizem. Até outro dia estavam a matar-se uns aos outros, a obedecer a ditadores e generais, e agora então vêm nos dizer o que é certo e o que é errado? Não obrigado. Sabemos o que temos que fazer, e o faremos do nosso jeito. Eles entrarão em declínio, e nós estaremos de pé para os ver afundar. Somos amigos da China, somos amigos da Rússia, somos amigos do

Brasil, que representam uma nova ordem. Estamos com a equipa vencedora. Vemos muitos europeus aqui chegarem com sua moral, seu preconceito, e quando veem o potencial, esquecem tudo rapidamente, e começam a trabalhar para nós. Olha só os portugueses, fugidos da terra deles, onde não há mais empregos, todos voltando à terra que seus pais exploraram, onde nos chamavam de pretos de merda, nos diziam o que podíamos ou não fazer, o que comer e o que vestir, onde morar, onde transitar, onde podíamos trabalhar, como se fôssemos crianças sem poder de decisão, agora virem para nossa Eldorado cheios de falsa humildade. Olha, já somos donos de bancos e empresas em Portugal. Compramos um edifício em Manhattan, sabias? Temos parcerias com as maiores empresas do mundo, as chinesas. Quem vem a Angola vem para aprender, não para ensinar. Sei que tu me entendes. Tu és francês. Teu país também está a ser comprado pelos novos donos do dinheiro. Olha lá tuas grandes empresas, uma é indiana, outra é japonesa, a outra é chinesa. A grande equipa de futebol é dos árabes, e vastas áreas da Cidade Luz também. Isto não vai acabar. É a nova ordem mundial."

Thomas quase esperou que Eri falasse das vinícolas francesas detidas cada vez mais por chineses, para poder oferecer-lhe o Château K. Afinal chegara sua vez. Tantos eram os pequenos viticultores que estavam quebrando. Suas vinícolas pouco valiam, ao passo que as famosas comandavam grandes somas por hectare. Muitos de seus vizinhos envelheciam, e seus filhos não queriam assumir o negócio. Seus vinhos eram somente regulares, sujeitos ao preço ditado pelas redes de distribuição. Mal pagavam seus custos. Queriam vender tudo e viajar mas não conseguiam. Thomas temia tornar-se como esses vizinhos. Tantos eram os homens do vinho que sonhavam em poder vender o negócio, até mesmo aos chineses, que iam à França cada vez mais para investir, como foram em décadas passadas os japoneses e, antes, os americanos e ingleses. Angolanos eram novidade para Thomas. Mas não foi justamente para isso que havia viajado? Para encontrar um investidor para sua vinícola? Não esperava ter encontrado Marisol. Esperava realmente que a viagem ao desconhecido o trouxesse novos rumos. Não podia ter preconceitos contra Eri. Não podia se dar ao luxo de ser como seu pai, que resistia a mudanças e impérios como um autêntico gaulês. Num país novo, que passou por guerra e grande caos, os homens de negócios nasciam da noite para o dia. Aqueles que ora viram-se impedidos de lucrar durante a guerra agora estavam livres, sobretudo aqueles que detinham domínio das novas leis e projetos do país, e portanto das melhores informações.

"Olhe tudo isto à sua volta. Sou dono de diversos edifícios por cá. Temos empreendimentos imobiliários por toda a cidade em parceria com os chineses. Esses gajos não brincam. Centros comerciais em associação com os israelenses e com os ingleses. Estamos no marketing, na televisão, na comunicação. Estamos a criar uma rede de supermercados em associação com um brasileiro. Quem sabe teu vinho poderá estar aqui, espalhado por toda Angola. Até hoje só tivemos vinhos portugueses e sul-africanos. Quero investir neste setor também. Me interessei por teu projeto. Tenho muitas ideias. Quero que ouças."

Thomas ouvia uma chuva de gotas de ouro em algum lugar no universo, e queria se molhar, pisar naquelas poças. Já se via trabalhando, não para Eri, mas por um vinho inesquecível.

"Quero te contratar para ser meu enólogo. Quero fazer o melhor vinho de Angola, e o melhor vinho de África, superando os sul-africanos. Não me interessa que me digam que Angola não tem o clima. O besouro não tem a aerodinâmica para voar e no entanto voa. Pronto! Está decidido! O vinho vai se chamar Besouro. Há climas distintos, solos distintos por cá, e cabe a alguém como tu os explorares até decidirmos qual o mais adequado. Não me importa quanto gastes, quanto tempo leves, mas quero isto feito. Vais ser o principal enólogo de Angola, e o maior de África. Podes trazer teu *staff*."

"Tudo isto me interessa, Senhor Eri." Agora já não se via mais em França. Via-se em Angola, sabe-se lá onde, num local com solo e clima propício para o cultivo da uva. Mas seria para parte do ano, seguramente. Poderia viver entre Angola e França.

"Queria ver se te interessavas em investir em uma vinícola na França. Além dos projetos que aqui esboçaste."

"Não são esboços. Serás bem recompensado. E sim, tenho interesse em investir em França. Já o fazemos em Portugal. Quero comprar tua vinícola. Vamos fazer o melhor vinho de África e também o melhor de França. Quero ver qual será o melhor. Acho que vai ser o de cá."

"Veremos. São muitas gerações com as mãos no solo, e solos com séculos de tradição."

"Nada que os recursos não resolvam, meu caro. Veja lá os americanos na Califórnia."

Seria mesmo Eri tão terrível quanto Marisol o descrevia? Ele não lhe pareceu agressivo, apenas uma pessoa exigente, acostumada a dar ordens e vê-las serem cumpridas, alguém disposto a pagar por qualidade e serviço impecável, igual a tantos bilionários. Os homens poderosos eram assim, exigentes. Não parecia interessado em Marisol da mesma forma que Thomas.

Desceram pelo elevador privado de Eri até a garagem.

"Escolha."

Eri mostrou uma fileira de carros.

Thomas viu-se na difícil tarefa de decidir entre uma Ferrari, uma Lamborghini, uma Bugatti, um Rolls Royce, uma Maserati, uma Bentley, uma McLaren, e um Aston Martin.

"Minha pequena coleção. Em Lisboa tenho mais alguns. Bem, podes escolher o teu. Assim que terminares os trabalhos que te passei, ficas com um. E isto é apenas o começo. Vamos, vamos sair um pouco, vamos arejar as ideias. Vamos neste, que é um dos meus preferidos. Lembram-me de bons tempos."

Foram na Bentley azul marinho.

Em Paris, Thomas via tal requinte somente nos oligarcas russos, levando suas amantes comprar joias na Place Vendôme e depois tomar champanhe no Bar do Ritz.

Saíram com Aarão. Parecia ser também seu automóvel favorito. Usava luvas brancas e uniforme impecável quando a serviço de seu *boss*. Adorava ouvir o que o *boss* falava, para depois comentar com os demais motoristas da empresa e também os colegas de profissão, que então reportavam o que ouviam de seus bosses.

Passaram por onde ficara por tantos anos a Livraria Lelo, instalada num baixo edifício *art-déco*, numa praça frente a uma das mais belas igrejas de Luanda e de toda Angola, Nossa Senhora dos Remédios. Chegaram à marginal, e fizeram a curva à direita. Thomas admirou a bela estrutura do Banco Nacional de Angola.

"Ah, o BNA. É de lá que vem a massa. Há azulejos primorosos lá dentro. Mas nossos edifícios já suplantaram aquilo. Coisa dos colonos, que gostavam destas casotas rosas com telhaditos vermelhos. Não sabiam fazer arranha-céus."

Logo depois seguiu-se uma sucessão de arcadas por sobre as quais anunciavam-se os letreiros de várias empresas, como a TAP, a Total, a Lufthansa, e plaquetas com o selo oficial de Angola representando algum órgão governamental, como o Ministério do Interior. Chegaram ao fim da Marginal, onde erguia-se um hotel já com ares de mais velho frente a uma praça. Adiante, via-se a entrada do porto de Luanda. Contornaram a praça. Os olhos de transeuntes seguiam a lataria daquele carro, que destoava até mesmo dos imponentes jipes. Policial nenhum ousava parar aquele veículo.

Aarão conduzia a máquina de forma totalmente oposta à que faria na manhã seguinte, até chegar à península delgada que todos chamavam de Ilha, onde um lado era banhado pelas águas sujas da baía de Luanda e o outro recebia o Atlântico em praias divididas por cubos de concreto empilhados. Era ali que batiam as furiosas calemas, que inundavam as casas e faziam lembrar o poder das águas.

"Gostas do que vês?"

"Sim, é fascinante. Como parece que tudo está a crescer a ritmo vertiginoso. Na França não há nada igual."

"Sim, estivemos parados durante muito tempo. Agora é hora de crescer, hora de mostrar ao mundo quem são os angolanos."

"E quem são os angolanos?"

"Somos os maiores em África. Isto é fato. E em breve estaremos por toda a parte. Isto é questão de tempo. Hoje a globalização nos leva ao mundo, e nos trás o mundo. Estão cá os chineses, os europeus, os brasileiros, os libaneses, os demais africanos, todos cá tentando levar algum punhado do nosso ouro negro."

O telefone de Eri não parava de vibrar, até que ele o desligou. Vendo os olhos de Thomas fixos naquele belo aparelho de platina, ofereceu-lhe um idêntico.

"Vais gostar."

A noite caía sobre a Ilha, e um vento quente iniciava seu soprar. A Bentley viu-se refletindo as lâmpadas improvisadas sobre os pequenos comércios beirando a estrada da Ilha, e a iluminação fantasiosa dos estabelecimentos noturnos que tanto faziam a fama daquele bairro.

"Paramos aqui por alguns minutos. Quero cumprimentar uns amigos."

Desceram frente a uma casa que lembrava uma pagoda chinesa, com luminárias de papel e dois leões de pedra com enormes línguas de fora escorando a porta dupla de madeira maciça. Dentro, foram recepcionados por uma chinesa cujas curvas resumiam-se às de seus olhos, movendo-se com economia dentro de um apertado vestido amarelo. Pediu para que a seguissem por um corredor, onde haviam várias portas fechadas. Por trás delas ouviam-se conversas animadas e o som de televisores e música. Entraram por uma daquelas portas e Thomas se deparou com uma mesa redonda, enorme. Vários homens pousaram seus cigarros em cinzeiros ao lado de seus pratos e se levantaram para cumprimentar Eri.

"Mr. Eli, hou ar yu?"

"Mr. Eli, tudo bein?"

"Mr. Eli, bwa noitch."

"Obrigado, obrigado, xiè xiè", Eri dizia, suas mãos enormes quase fazendo desaparecer as dos chineses. Voltaram a sentar-se. O que Thomas pensou que fosse uma visita rápida tornou-se um verdadeiro banquete. Prato após prato era servido, ornado com flores e decorações, cada um em louças distintas. A apresentação das iguarias nada ficava a dever à tradição francesa. Não fazia ideia muitas das vezes o que estavam a servir. O menu em chinês também não ajudou. Vieram tigelas de besouros fritos e também escorpiões. Tinham gosto de batata palha. Outras coisas, preferiu não saber o que seriam. Ele, como convidado de honra, acompanhante de Eri, era sempre incitado a provar tudo que chegava à mesa primeiro. Recordou-se de sua estadia em China, mas aqui havia mais requinte e mais variedade nos pratos. Algumas coisas até eram boas, principalmente os vegetais, preparados de forma totalmente distinta da francesa, ou mesmo europeia, como se a manteiga nunca tivesse existido. Parecia que comiam partes de plantas que não eram geralmente consumidas alhures. O mesmo poderia se dizer sobre os animais. Um prato era pura banha de porco, e não fosse a pimenta teria sido difícil suportar. A todo o momento alguém da mesa levantava com uma pequena taça na mão, cheia de um líquido viscoso, e se dirigia a ele para brindar.

"Gan bei."

"Gosta vinho?" um dos chineses perguntou a ele.

"Gosto."

Uma das mocinhas magras em saia apertada descendo até as canelas, fazendo-a arrastar os sapatinhos, trouxe rapidamente uma jarra de vinho chinês. Sob os olhares cheios de expectativas dos convivas, o enólogo francês viu-se induzido a louvar os sabores e perfumes daquela bebida que nem passaria por um *vin de table* na França.

Felizmente Thomas tinha alta resistência ao álcool. Os chineses ficaram um pouco frustrados em ver que o convidado não parecia afetado depois de tantos "gan bei". Iniciaram um karaokê, cantando músicas de Frank Sinatra. Quando tocou "My Way" Thomas disse que a música original era a francesa "Comme d'habitude", de Claude François, mas todos duvidaram. Frank Sinatra era o compositor e a canção em francês apenas uma versão. Eri também parecia ter as entranhas feitas em carvalho, não vacilando sob os efeitos do *bai jiu*, o forte destilado que era mais consumido que o vinho nas grandes ocasiões. Thomas não poderia afirmar que apreciara. Se pudesse escolher ficaria com um Calvados ou um Cognac. Foi ao toalete e viu um dos convivas a esvaziar o conteúdo de seu estômago em posição de intimidade com a louça sanitária. Não seria o primeiro nem o último, se fossem tentar o embebedar.

"Já foste ao Chill Out?"

Ao olhar perplexo de Thomas seguiu-se o comentário de Eri.

"Belas damas. No Miami também. Mas para comer, meu favorito ainda é este aqui."

Thomas viu-se numa rua de terra e sentiu pena da Bentley sendo sujeita a tal tortura. O local ao qual Eri se referia era um sobrado com vista para a Baía, e por trás dela, a fachada moderna de Luanda, aquela que se via nas revistas, dos arranha-céus em competição de altura.

"Aqui se faz a melhor comida de Luanda."

"É seu?"

"Não. É um local de tradição. Venho cá quando me apetece, o dono é amigo. Adoro o caldo, as quitetas, as patas de caranguejo. E tudo vai bem com uma Cuca."

"Ainda não tive o prazer de provar."

"Pois então, venha."

Sentaram-se em cadeiras de plástico, e o som ambiente vinha de um televisor com volume no máximo a oferecer uma telenovela brasileira. O galã e sua amada eram registrados em diversos ângulos numa cama de lençóis de seda num quarto todo branco, ele de torso nu, e ela num *negligée* que pouco deixava à imaginação. Beijos, abraços intermináveis, as mãos dele percorrendo os longos cabelos ruivos e cacheados da mocinha, e então, uma porta se abre e a vilã aparece, enquanto a trilha sonora exalta a tensão da cena e a câmera foca no olhar da vilã, e depois no rosto da mocinha e por fim no perturbado semblante do rapaz. Gritam-se nomes, e a seguir, o capítulo se encerra.

O garçom, rapaz magro em camiseta vermelha com manchas de água sanitária e ares de quem estava mais preocupado com a telenovela do que com os clientes, ouviu os pedidos de Eri. Depois voltou para confirmar. Então voltou alguns minutos depois para dizer que não havia os pratos solicitados. Eri apenas disse, Deixa estar, traga apenas dois finos da Cuca e uma dose de pica-pau.

"Você é casado, Thomas?"

"Não. Solteiro."

"Pois devias casar. Arrume já uma angolana para te fazer feliz, e tenha com ela logo uns filhos bem angolanos. Eu tenho sete filhos e três esposas. Fora as namoradas."

Marisol estaria entre elas?

Agora Marisol estava ali ao seu lado no carro rumo às Pedras Negras, mas parecia encolhida.

Aarão seguia pela estrada, que mostrava, ora de um lado, ora do outro, a sucessão de aldeias com as quais Thomas passou a se acostumar após o fascínio inicial, com dezenas de casas de barro e crianças pequenas e nuas brincando entre as galinhas, e leitoas enormes e pretas sendo seguidas por seus filhotes. Cabritos saltitavam aqui e acolá sobre o barro duro. Teve má sorte um deles ao pôr-se à frente dos para-choques de Aarão. Este não parou para indenizar o dono do cabrito, como era o costume na terra, apenas exclamando com sua voz rouca, Hoje tem Caldeirada! e então pisando no acelerador.

Nem mesmo assim Marisol olhou para Thomas. Será que estaria chateada por ele ter se encontrado com Eri? Nada estava decidido. Examinaria as cartas geológicas de Angola. Depois visitaria os locais mais propícios para analisar os solos. Uma coisa era certa. Teria que encontrar um local de clima ameno e alguma altitude. Todos os locais onde se faziam vinhos eram assim. A França, a Espanha, Portugal, a Itália, a Argentina, o Chile, a África do Sul, a Austrália, tinham características em comum para propiciar um bom crescimento das uvas. Em todo caso, se não fosse possível fazer um bom vinho em Angola, ainda havia a oferta de investimento no Château K. Aí estava o real interesse de Thomas. Não pretendia ser o melhor enólogo da África, e sim um dos melhores do mundo, com o seu Château K. Só precisava dos recursos. O resto ele faria. Marisol viria com ele? Ou não aceitaria a ajuda de Eri no negócio? Às vezes era preciso ser flexível na vida, e não tão orgulhoso, para não perder as oportunidades que surgiam apenas uma vez e não mais. Outra chance como esta não apareceria.

Desde o início do percurso haviam atravessado barreiras policiais sem nem mesmo reduzir, prática comum entre os que estavam acima dos controles das fronteiras provinciais. Aarão atirava o carro na direção dos cones que bloqueavam a estrada e os guardas entendiam sua intenção, correndo para removê-los. Viam o veículo imponente e presumiam que era gente importante, que não ousavam interromper rumo a assuntos importantes com outras pessoas importantes. Poderiam perder o emprego. Que viesse um táxi para exigirem documentos, ou melhor ainda, um estrangeiro, para exigirem o visto no passaporte e uma bela de uma gasosa.

Porém, eis que numa destas barreiras os guardas se recusaram a retirar os cones. Estavam cheios de zelo pela ordem e pela lei e todos deveriam parar para se identificarem. Eram procedimentos ainda herdados da guerra, para controlar o fluxo de civis e militares nas regiões dominadas pelas Forças Armadas, mas que permaneceram mesmo com o fim da guerra.

"Parem."

O guarda estendeu um braço com a mão levantada envolta numa luva branca.

Aarão freou com raiva a centímetros dos joelhos do guarda.

Thomas queria dizer algo para poder ajudá-los a sair da situação, mas Marisol, na única vez em que dirigiu o olhar a ele durante toda a viagem, deu a entender que não deveriam se envolver. Era uma questão somente entre os dois.

Aarão encontrou solução para seu problema com o guarda. Deu a ré no carro, e simplesmente contornou o oficial, como quem o faz a um cone. Não olhou pelo retrovisor e saiu lentamente. O guarda agiu como se nada houvesse acontecido, e fez como os demais, aguardando por um táxi ou autocarro para fazer o seu pedágio a alguém menos audaz do que o motorista do filho do General Makarov.

Quando se aproximaram de Malange, Thomas viu ao sul uma curiosa formação de pedras surgindo em meio à planície. Eram as Pedras Negras de Pungo Andongo, local místico para tribos que ocuparam a região, e também ponto estratégico para a Rainha Ginga, que ali mantivera um forte para combater as incursões portuguesas e reunir escravos capturados de tribos inimigas, para então os vender aos holandeses, seus aliados. Tudo isso Thomas lia nos livros de Álvaro, pois sua guia turística nada dizia.

Quando Aarão parou o carro de repente, abriu a porta, e foi para o mato se aliviar, Thomas perguntou a Marisol o que se passava. Havia feito algo errado? Dito algo que a magoara?

Ela disse que havia cometido um erro tendo convidado Thomas para com ela ir ter em Angola. Ela devia ter ido encontrá-lo em França.

"Ainda podemos fazer isto."

"Pelo visto, não. Parece que já tens planos aqui em Angola."

"Não sei. Recebi uma oferta tentadora. Tenho grandes planos para minha vinícola na França, e um investidor de peso ajudaria."

“Achas mesmo que ele fala a sério com estes planos?”

Thomas preferiu não responder. Ele mal conhecia Marisol, e muito menos Eri.

Comeram frango frito num restaurante em Malange, em companhia de moscas. Aarão foi o único que pareceu gostar, pois pediu mais um prato e comeu com vontade, suas mãos gordas indo de encontro aos peitos e coxas banhados de fritura, tingindo-os de maionese e ketchup e molho de pimenta e engolindo com sofreguidão, chupando os ossos, como se talvez não houvesse uma outra refeição aquele dia. Eram os anos de tropa guiando seus hábitos. Pediu uma Coca-Cola e uma Red Bull para tomar no caminho, pois ainda tinham muita estrada pela frente. Uma ordem de Eri era para ser seguida, e o soldado era obediente.

A cidade de Malange era uma versão reduzida e piorada da baixa de Luanda, com edifícios que pertenciam a um outro tempo, também em lenta decomposição. As ruas estavam tomadas por rebanhos de motocicletas, que trafegavam livremente dentre os gira-bairros, bolinhos e jipes pelas vias esburacadas. Uma bela igreja amarela era a única estrutura minimamente bem conservada, e Thomas observou com admiração o sino no alto de sua torre.

Tomaram uma estrada rumo ao norte para ver as Quedas de Kalandula, onde o rio Lucala é engolido por uma fenda e esbraveja contra as pedras até voltar a se acalmar e correr de encontro ao Kwanza em Massangano. Não eram nada como Niagara, Victoria ou Iguaçu, mas ainda assim imponentes. Thomas se surpreendeu mais com a ausência de infraestrutura turística do que com as quedas em si. Não conseguia compreender por que não havia uma lanchonete, guias turísticos oferecendo visitas pelo local e explicações, ônibus de turismo vindos de Luanda, sorveteiros, bancas para vender cartões postais, e um restaurante panorâmico vendendo a vista ao preço de um prato caro de comida ruim e vinho idem, como faziam todos os restaurantes que monopolizavam uma vista favorável. Depois lembrou-se das dificuldades em se chegar ao local, as condições das estradas, a ausência de sinalização, poucas bombas de gasolina e lojas de conveniência, os preços abusivos das acomodações e restaurantes, ao passo que os controles policiais eram diversos e temerosos.

Voltaram à estrada principal e depois rumaram ao sul em direção às pedras que Thomas havia visto na ida. A estrada cruzava extensas plantações de cana. Quando chegaram às Pedras, Thomas lembrou do que havia lido sobre elas nos livros que Álvaro havia emprestado. Livingstone havia lá estado nos idos de 1854, e comentado favoravelmente sobre um tal Coronel Pires, que ali plantava de tudo, como figos, pêssegos, e também produzia queijo. Era autossuficiente, e construíra um forte numa das maiores clareiras entre as pedras.

Enquanto Aarão disse que ficaria no carro descansando, Marisol indicou a Thomas um caminho que havia para o cimo de uma das pedras que formava um plateau sobre a formação. Dali de cima avistavam as demais rochas, lembrando enormes sapos ou torres disformes ou balões em desfalecimento, todos em tons de cinza escuro que as algas vertiam para o negro no tempo da chuva. Ao pôr do sol, a planície que se estendia sem rupturas ao sul daquela floresta de pedras iniciou seu desaparecimento sob a noite. As pedras enquanto isso projetavam umas contra as outras as suas penumbras. Uma das pedras lembrava o tronco do imbondeiro. Sua sombra absorveu o casal que ali estava. Por um instante Marisol viu não Thomas e sim Eri à sua frente

"Vamos ao Namibe. Vais conhecer o deserto, e a *Welwitschia mirabilis.*"

Foi tudo o que ela disse.

Marisol disse que depois de chegassem a Luanda prepararia tudo. Ocultou que Eri não poderia saber, que dali fugiriam pela fronteira para a Namíbia, e desde Windhoek pegariam um avião para a África do Sul. De lá poderiam ir para qualquer lugar do mundo.

Ficaram os dois a ouvir o ruído dos bichos nas ranhuras das pedras e lá abaixo na planície, permeando os pensamentos de cada um.

Por fim desceram, já sob as profundas sombras que tornavam as pedras quase como um bloco de sólida escuridão. Aarão conversava com uma moça, comportando-se como o dono do carro. Ficou sem graça ao ver o casal retornar do passeio íntimo tão cedo.

A volta a Luanda pareceu mais longa, pois Thomas somente via os faróis dos outros veículos. Aarão se aproximava demais deles, e se esgueirava no último segundo dos que vinham na direção contrária. Não conseguia tirar os olhos da estrada, pois temia que Aarão falhasse. Marisol pareceu não se preocupar e dormia. Os imbondeiros da floresta que antecedia a urbanização agora surgiam fantasmagóricos contra os faróis, as silhuetas de seus galhos delgados e contorcidos feito garras. Aarão o deixou na frente do portão de Álvaro. Thomas tentou se despedir de Marisol, mas ela parecia dormir profundamente.

Foi tocar a campainha mas ouviu o rugir do gerador de dentro do pátio, e ruídos similares a vir das casas vizinhas. O bairro estava sem eletricidade e todos haviam posto seus geradores a trabalhar. Não iriam ouvir a campainha. Estava exausto, seus nervos em estilhaços com a preocupação que teve durante a viagem devido à condução de Aarão, e com a atitude de Marisol. Estava saindo de uma viagem com dois loucos, um condutor insano e uma mulher estranha, para chegar à casa de um homem também desprendido da realidade. Esperava nunca mais ter que ver aquele motorista. Parecia que sentia desprezo por sua vida, e também pela alheia. Também estava um pouco triste com a fria atitude de Marisol. Uma mulher que lhe pareceu fascinante, inteligente, madura. Talvez Jan estivesse mesmo certo sobre as angolanas. Enquanto ainda estava pensando como iria fazer para que abrissem o portão, viu dois rapazes se aproximarem em uma motocicleta.

"Saca logo o relógio. E dá o saco também."

Levaram-lhe o relógio de ouro, que havia sido de seu avô e de seu bisavô. O pior foi terem levado o saco, onde estavam os livros dos viajantes de Álvaro, volumes com várias anotações nas passagens mais apreciadas pelo pintor. Como iria explicar isso a ele, que fora assaltado em frente à sua casa? Haviam levado também o envelope que Marisol o havia dado, e que ele ainda não tivera tempo para abrir. Não tinha dado muita importância a ele.

"Estás bem?"

Era a mais nova, toda em verde, saltando de um Prado azul marinho, conduzido por um homem que aparentou ser bem mais velho, que ao ver Thomas acenou e desapareceu com um leve sorriso de *Schadenfreude* com a má sorte do branco.

"Foi só um susto."

"Ai, que coisa horrível. Estás mesmo bem?"

"Estou. Estou sim. Não foi nada."

Entraram. Thomas deparou-se com Álvaro tomando sua sopa de ervilhas, sorvendo o conteúdo da colher com alarde, coisa que fazia Dona Eunice franzir o cenho simulando desagrado. Mas não foi fingimento quando Dona Eunice viu a mais nova entrar com cara de quem era dona de sua vida e não devia explicações a ninguém. A mais velha estava em seu quarto ouvindo quizombas para afastar o barulho do gerador.

"Boa noite."

"Onde estiveste?", perguntou Álvaro à filha.

"Fora. Saí com amigos. Fomos à Ilha."

"Amanhã tens aulas. Sabes que só podes sair e voltar tarde aos finais de semana."

"Vou banhar-me. Com licença."

"Ora ora quem vem lá, o nosso francês Tomé. Já voltaste? Foste de foguete ou o quê? Viste alguma coisa a esta velocidade? Mas que coisa! Assim não se consegue apreciar nada! Livingstone passou anos cruzando Angola de cima abaixo, de oeste a leste. Welwitsch consumiu sua saúde explorando a flora de norte a sul do país durante oito anos. Magyar viveu cá dezesseis anos, grande parte do tempo explorando recônditos a serviço do seu sogro, o rei do Bié. E tu, em um dia, vais e voltas."

"Não tive escolha. Fui escoltado. Fui apanhado, levado, e de volta deixado. Mas gostei. Gostei sim. Foi bonito. Principalmente as Pedras Negras. Encantadoras. Fortes, como os angolanos."

"Sim, há alguns que são assim fortes, como pedras. Outros somente aparentam isso, mas são na verdade árvores de casco oco. Angola tem destas coisas. 'Encantadoras'. Falas como se fosses um guia turístico. Ouviste-as cantar à noite? Nem passaste uma noite ali entre elas, sob as estrelas, para ouvir o que elas têm a dizer! Esses homens de hoje, que tudo querem e rápido, para ontem. E afinal, este Eri, tomes cuidado com ele. O que ele pretende afinal? Que quer de ti? Não me vás magoar a rapariga!"

Thomas não estava disposto a ouvir sermão, ainda que bem-intencionado. Estava é fascinado com a pujança de Angola, com suas riquezas, principalmente o petróleo. Jan den Brok era um acomodado. Seus antepassados teriam vergonha dele, eles que foram desbravadores que abandonaram tudo que tinham na Europa e foram para um continente desconhecido, cheio de animais selvagens, doenças horríveis e guerreiros ferozes. E ele falando mal de Angola, uma terra com tudo por se fazer, que havia acabado de sair da guerra, que precisava plantar, colher, fazer estradas, dar uma vida normal a sua população. A França estava cada vez mais engessada com leis, sindicatos, gente que tinha tudo e não queria ceder nada, trabalhar pouco, ganhar muito e se aposentar cedo. Estava em declínio, com as ideias velhas de uma nação velha, com os mesmos partidos, os mesmos políticos corruptos, as mesmas famílias de bilionários. Aqui estava uma terra nova. Não era perfeita, tinha seus defeitos, mas tinha potencial para ser uma grande nação. Recursos tinha, e com homens como Eri, arrojados, ambiciosos, realistas, possuía capacidade para o ser.

Por fim revelou a Álvaro que havia sido assaltado frente à sua casa e que lhe haviam levado os livros.

"Sei quem são estes miúdos. Conhecia seus pais. Morreram na guerra. Hoje são uns malfeitores, roubam por todo o bairro, não dão trégua a ninguém, e não se faz nada pois um deles tem um tio na polícia. Dizem até que é para o tio que vendem a mercadoria roubada. Ora essa. Sinto muito pela tua perda."

"Sinto mais pelos teus livros."

"Já os tenho memorizados", Álvaro disse, mas Thomas viu que o velho estava um pouco consternado, deixando de olhar em seus olhos, como sempre fazia, e fixando a vista no televisor, que dava as notícias, mais uma vitória da equipa nacional de handebol no torneio mundial, mais uma vitória da equipa nacional de basquete no torneio mundial, mais uma ponte flutuante construída no Cuando Cubango, mais um hospital inaugurado no Moxico, mais uma creche no Kuíto, mais uma escola no Uíge...

"Afinal dás por encerrada tua visita a Angola?"

"Nada disso. Ainda vamos ao deserto. Ideia dela. Diz que é maravilhoso."

Álvaro apagou a tevê e disse que estava na hora de repousar. Dona Eunice já o aguardava no leito. Thomas se despediu, sua cabeça pulsando com o cansaço mas também com ideias para seu Château K e para um vinho angolano. Já tinha até um nome: Mister E. Haveria de convencer Eri a esquecer aquele nome horrível para o vinho. Besouro, que coisa mais ridícula! Amanhã veria Marisol, e planejariam a viagem ao sul. Queria muito estar com ela, e tranquilizá-la. Seria uma viagem linda, somente os dois, amando-se no carro, nos quartos de hotel, e no deserto. Depois, hora de realizar grandes feitos com grandes homens, andar com os grandes cães, nada de seguir com os totózinhos como havia feito até hoje. Seria um enólogo respeitado. Seu vinho seria disputado por investidores nos leilões em Hong Kong, atingindo preços absurdos. Robert Parker diria que seu vinho era sublime, e daria a ele a nota de 98, chamando-o de o Petrus de Côtes du Rhône. Antes, o Château K fora apenas uma vinícola antiquada, sem expressão, apenas mais uma dentre milhares. Agora surgia uma oportunidade para Thomas modernizar seu vinho. Esqueceu o barulho do gerador do lado de fora do quarto da mais nova, e dormiu completamente satisfeito com seus planos e com sua sorte.

Uma mulher juntou-se a ele na estreita cama. Jovem, seu corpo quente exalava um tênue aroma de suor sob uma aura de alfazema. Ela situou seus lábios quentes no pescoço de Thomas, e daquele campo extraía sumo. Thomas, que frequentemente sonhava com a prática do ato sexual com belas mulheres, deu-se conta de que o sonho reproduzia fielmente a cama onde dormia e o quarto à sua volta. Até o som das molas do colchão era fidedigno. Ou o sonho seria uma obra prima onírica, ou ele estaria acordado. Ficou com vergonha de seu sexo ereto por baixo dos boxers sendo cavalgado por uma das duas jovens que naquela casa habitavam, que se revelou ser a mais velha. Segurou seus pulsos e sussurrou em seu ouvido que não se sentia confortável com aquilo.

"És paneleiro? Me achas feia? Gorda?"

"Não é nada disso. Estou comprometido com uma mulher."

"Esse gajo! Nunca vi angolano nenhum negar fogo numa hora dessas, mesmo compromissado, casado, noivado, que seja!"

"Tenho muito respeito por seu pai para fazer algo assim com uma de suas filhas, ele que me abrigou em sua casa."

"O velho não precisa saber."

"Mas eu sei."

"Tá-se bem. És paneleiro, mas não precisas admitir. A minha irmã estava certa. Eu só queria conferir."

"Está bem, sou paneleiro."

"Não vás agarrar meu pai que te mato!"

"Pode deixar. Ele não faz meu tipo."

"Tenho vários amigos, posso te apresentar."

"Não precisa. Eu me arranjo sozinho. Mas obrigado."

A miúda saiu do quarto da mesma forma que entrou. Já Thomas não conseguiu voltar a dormir. Às vezes uma pessoa imagina coisas, como Álvaro e suas árvores. Era preciso tentar compreendê-la, tentar entender por trás das palavras insanas que dizia. Nem sempre uma pessoa pratica em público algo distinto do que oculta em privado por malícia, para enganar os outros. Muitas vezes é por proteção, para não demonstrar fraqueza. Alguns nem mesmo têm escolha. Não há o que esconder pois são loucos, insanos, e nem sabem o que estão a representar em público aos olhos de todos. Tudo que se vê é a fragilidade de uma pessoa inofensiva, menos a ela mesma.

Arrependeu-se de a ter julgado. Havia sido injusto com uma mulher que precisava de ajuda. Era preciso conversar com ela. Queria muito ajudá-la, pois parecia ser uma mulher especial. Ainda a queria em sua vida, mas teria que desvendá-la. Seria ela ainda a mesma mulher que quando a conheceu ficou admirado com a ausência de dissimulação? Ele conhecia a elaboração.

Ela também teria que aceitar seu desejo de trabalhar com Eri. Eri por sua parte parecia ser um homem direto, sem necessidade de esconder o que pensava. Era claro e preciso, uma pessoa realista, como o são todos os grandes homens. Não lhe pareceu uma pessoa ruim, que praticasse atos de maldade. Disse-lhe até que possuía uma fundação que ajudava as pessoas carentes de Angola, e que parte dos recursos arrecadados em todas as suas empresas eram dirigidos a este fim.

Iria então com ela ao sul, para apaziguá-la. Se não fosse, Marisol poderia distanciar-se de vez, e poderia até atrapalhar seu relacionamento de negócios com Eri. O homem poderia se zangar com Thomas por ter entristecido Marisol, sua amiga de infância, sua alma gêmea. Iria ao extremo sul do país, como ela queria, mas dali voltariam. Até lá teria chances de a convencer que nada daquilo que ela temia era verdadeiro.

Dona Eunice não percebeu quando o marido saiu da cama, encaixou a prótese, calçou as chinelas gastas, apoiou-se na muleta e subiu para o ateliê, como que possuído pelo sonambulismo. Não poderia imaginar o que se passava por trás da porta do quarto da mais nova, onde a mais velha tentava seu hóspede, que era varrido do sonho para uma intranquila realidade. O pintor galgou lentamente os degraus de piso bruto, abriu a porta ao ateliê, e se pôs frente à grande tela do imbondeiro. Desde a chegada de Thomas o imbondeiro havia se escondido, mas por fim decidiu-se por dominar as telas do pintor. Este iniciava uma welwitschia em branco e rosa, mas eis que surgia a sombra do baobá para cobrir branco e rosa com cinza, negro, verde escuro, marrom, e vermelho. Tentava outra tela, a welwitschia um mero ponto verde num campo pontilhado em amarelo, e novamente vinha o baobá irromper por sobre a mansidão da cena com seus tentáculos, sua sombra, seu peso. Finalmente desistiu da welwitschia e aguardou as ordens do baobá. Ele decidiria o que Álvaro iria pintar.

Surgiu a imagem de um imbondeiro, visto de cima, como o veem os pássaros, ou como a planta baixa de um reservatório de água. Um círculo imperfeito, cheio de ondulações às bordas da grande tela, em marrom e cinza. No interior de seu tronco oco, rosas, margaridas, lírios, girassóis, begônias, crisântemos... Todas as flores do mundo o imbondeiro abrigava dentro de seu bojo. Era cuidado? Era capricho? Havia uma flor, fresca e cheia de orvalho em suas pétalas. Exalava vida. Era a flor da welwitschia, tão rara. Álvaro gastava tubos e tubos de tinta, mas o baobá exigia flores e mais flores no interior de sua casca, e sobretudo aquela flor, que Álvaro tentava excluir de dentro do tronco. Pintava outras por cima. Pintava a flor da macieira. A flor da cerejeira. Mesmo a própria flor do imbondeiro. Não foi possível dobrar a vontade do baobá. Queria aquela, afogada dentre as demais flores dentro de suas águas. Álvaro jogava o pincel no chão. Resistia. Era como atirar nas pessoas inocentes quando fora da tropa. Não viera para Angola para isso, para machucar os que nada fizeram. Sentia raiva por ter sido iludido por tanto tempo pelo imbondeiro. Este o prometeu, se terminasse aquele quadro, teria seus dias livres pelo resto da vida para pintar o que bem entendesse, mesmo a welwitschia. Não mais o iria perturbar. O abandonaria para buscar outros temas. Ele já não o merecia. Era fraco. Não era pintor. Era apenas um obcecado pelo imbondeiro, um amador, que mal sabia misturar as tintas. Nunca chegaria à estatura de Tatlin ou El Lissitzky, Rodchenko ou Malevitch. Era um cobarde que não seguia as ordens do seu oficial e que fora punido por isso.

A flor mergulhava num vasto mar de flores dentro do tronco oco. Nadava entre as flores, como se estas fossem pétalas de água. As flores falavam à flor, Junte-se a nós, Venha morar aqui, estarás protegida. A flor resistia, tentava encontrar a saída, tentava encontrar as folhas da welwitschia para a puxar para cima, para subir à superfície, mas somente afundava em flores e mais flores. A cada inspirar, flores lhe penetravam pela boca adentro. Flores em seu sexo, flores em seu ânus. Até que consentiu. Tornou-se a flor do imbondeiro, aquela que tem cheiro de carne sem vida. Álvaro quis apagar a tela com uma camada toda branca por cima daquelas flores e por sobre o rodamoinho ou buraco negro à volta delas, mas não pôde.

Voltou à cama. Na manhã seguinte voltaria com receio para ver aquilo que havia pintado, os tubos e bisnagas de tinta todos pisados no chão do ateliê como múcuas já além do amadurecimento, já prontas para o solo as engolir.

Enquanto isso, Thomas viu uma mensagem em seu telefone.

"Estou cá fora. Vens?"

Era Marisol. Eri já havia feito seu lance. Agora era a sua vez. Outra chance não teria.

6
Welwitschia mirabilis

"SÃO QUATRO da manhã. Não dormes?"

"Não. Melhor que vás deitado no banco de trás. Descanse. Quanto estiver cansada te aviso e trocamos."

Thomas resolveu obedecer Marisol, e não viu da noite os últimos tons turvos diluindo-se sob o rosa e então o laranja e logo o branco da manhã sobre a estrada. Passaram pelo Benfica, a baía do Mussulo, com suas ilhas à direita ao subirem o morro dos Veados e sua encosta vermelha que abriga um campo de golfe. Se Thomas estivesse acordado veria o Miradouro da Lua e suas falésias de arenito, onde também se surpreenderia com a total ausência de infraestrutura turística para explorar tão belo lugar, e com o forte cheiro a urina emanando das fendas e a quantidade de lixo ali jogado. Depois veria a barra do rio Kwanza, largo vale de gramas altas e papiros, por onde se escondiam os jacarés. O Cabo Ledo surgiria então com seus surfistas pegando as primeiras ondas do dia; à beira dos penhascos, os britadores das empreiteiras extraindo calcário das encostas. A seguir, o Sumbe, capital provincial do Kwanza Sul, e Porto Amboim, cidades litorâneas ainda pequenas, e tampouco preparadas para o turismo. Marisol conduzia com a vontade de sumir do mapa, e cada quilômetro deixado para trás representava uma nesga da sombra que lhe deixava de recobrir, e que lhe facilitava a respiração. A distância que se punha entre eles e Eri era motivo para alegria, mas somente iria comemorar e se achar segura quando estivessem do outro lado da fronteira. Mesmo assim, ainda teria dúvidas. Não seria ele capaz de enviar seus asseclas até os fins do mundo para a ter de volta? Eri não poderia saber que estavam deixando Luanda, e Angola, naquele momento, e para nunca mais voltar, para desaparecer de vez. Logo que soubesse disso, não a perdoaria, e tomaria providências para que a traição fosse punida.

Por fim Thomas despertou. O carro estava parado, sendo abastecido. Marisol voltou da loja de conveniências com duas latas de energético e um brando sorriso no rosto. Thomas levantou-se e limpou o suor da testa. Como estava quente, sobretudo ali no banco de trás, agora com o sol que se impunha sobre as terras.

"Onde estamos?"

"Estamos em Benguela. Tens fome? Podemos parar para almoçar. Conheço um bom restaurante na Caotinha."

O bom restaurante era um simples barraco de madeira sobre palha onde o dono servia Cuca fresca e peixe. E no entanto era delicioso, pela simplicidade do preparo e dos ingredientes. Era carapau, o limão, uma batata cozida com um fio de azeite, alecrim, açafrão, e a popular cerveja angolana para tudo regar. Thomas estava com fome. Pediu mais um. Tomou mais uma cerveja, apreciando-a gelada.

"Não bebas muito, pois disseste que irias conduzir."

"Sou um ótimo condutor bêbedo."

"Não me venhas com ares de Aarão."

"Ele estava embriagado?"

"Sempre. Quase nunca está sóbrio."

"Como Eri não percebe? Por que não o demite?"

"E arrumar outro pior? Qual deles é que não bebe? Bebem até morrer."

"Que estão aí a falar? Comam aí o carapau que não tenho o dia inteiro", disse o dono do estabelecimento. Era um local onde ilustres até mesmo de Luanda frequentavam. A vista era inigualável, e a concorrência, inexistente. O dono poderia oferecer apenas cerveja de uma caixa térmica e peixe no carvão e ainda assim teria clientes aptos a pagar o preço exigido.

Thomas estava satisfeito e deixou-se cochilar mais um pouco. Não havia pressa. Estava gostando daquela escapada. Por fim sentiu-se em férias, com a mente desligada. Sabia que tinha à sua frente uma missão delicada. Convencer aquela mulher de que queria trabalhar com Eri. Ela ficaria muito desapontada, tinha certeza, mas assim era a vida. Mal se conheciam. Não seria fugindo dos problemas que se resolveriam as coisas. Mas isto seria resolvido depois. Não agora. Preferiu aproveitar o sol forte, a cerveja gelada, e chamou Marisol para a praia deserta.

Marisol beijou Thomas, mas o chamou para o carro. Ele fez cara de descontentamento, mas aceitou. Sim, tinha que fazer seu papel, mas logo estaria livre. Dali de cima do penhasco onde estavam, os olhos de Marisol seguiam o contorno áspero e o sombreado das falésias e depois voltavam-se para os azuis de Thomas, que os encontravam e a faziam sorrir. Será que ele havia se dado conta?

Era hora de deixarem aquele sítio. As sombras já se alongavam sobre o chão de terra, e tomavam mais solidez do que a estrutura de pau e palha do restaurante. Pagaram o homem com um par de notas de cem dólares, que mais uma vez causaram surpresa a Thomas pela simplicidade do local e da culinária, e seguiram viagem. Aves marítimas faziam alarde acima da Baía Farta, e a vegetação dissipava-se cada vez mais. Não era local para vinhos, disso ele tinha certeza. Ali não seria preciso fazer qualquer análise de solos. Ansiou pelos verdes de tantas tonalidades do seu vale do Rhône, e pela água doce, que o vento carregava na brisa que lufava sobre as vinhas e as fazia gracejar. Ansiou pelo carvalho branco e pela mesa de almoço e pela mãe. Qual daquelas noites fora a que Thomas decidiu deixar de esperar a mãe e foi buscar num corsário destemido a solução para o seu medo do escuro e para o grande vazio que a escuridão anunciava, quando mesmo o carvalho branco, e todas as vagas verdes naquele mar interior de vinhas desapareciam, e só restava um ou outro ponto de luz dos vizinhos vinhedos. Este corsário nada temia, e tomava as donzelas sem nunca as amar, e cruzava os mares, isto amava, somente o cruzar dos mares, e o reluzir dos dobrões de ouro nos baús roubados aos demais piratas, e seu nome era Thomas, o corsário dos Mares do Sul. O carvalho branco era seu galeão, e lá de cima avistava aquela gente no porto a se abraçar, ao redor de uma garrafa de vinho, e dizia, isto não é para mim, isto é para os fracos, vou é ficar aqui no mar, no alto de meu mastro. Aquele que desceu do carvalho branco para cruzar os mares era o corsário Thomas, que deixou o pai a falar sozinho sobre as mãos de Deus, nas quais nem mesmo acreditava, ou se acreditasse, as temia, pois haviam lhe tirado o que havia de mais importante. Foi saquear as costas do Pacífico, para depois voltar seu olhar para o mundo, e ver que o que seu pai havia lhe deixado era apenas uma barrica cheia de uvas. Era preciso enchê-la de moedas de ouro, e lá estava o mundo à sua espera para que as trouxesse, como fazem os corsários.

A estrada tornou-se um pequeno e tímido veio de piche sobre um manto de esparsa vegetação, e cada vez mais deitava pela estrada suas camadas para chegar à pele de areia que ali cobria as entranhas do mundo. Não havia cidades, somente pequenos aldeamentos largamente distantes uns dos outros. Marisol parecia ganhar em ímpeto e intensidade à medida que se distanciava de Luanda e de Eri. O mar era a forte presença naquela estrada litorânea, com as aves em seus bandos praticamente os únicos animais em evidência. Devia haver insetos e lagartos, Thomas tinha certeza, mas da estrada nada se via. A civilização estava a muitos quilômetros de distância, e com isso, o sinal telefônico, as notícias, os mercados, as mercadorias, o dinheiro. No Dombe Grande, não pararam sequer para contemplar o mar, sob o qual fluía sem interrupção a corrente de Benguela e grande vida marinha.

Ao final de um longo dia de condução, chegaram ao Namibe, capital da província homônima, ao sul de Benguela, onde também havia um porto. A cidade chamara-se Moçamedes nos tempos coloniais, e também possuía uma estrada de ferro, lentamente sendo reabilitada pelos chineses, como a de Benguela. Havia um ou outro local de comércio, e rente às ruas cobertas de areia, mulheres das tribos locais a vender artesanato e hortaliças.

Depararam-se com uma estrutura em concreto armado que lembrava o esconderijo subaquático de um dos vilões de James Bond, na verdade um cinema nunca concluído. Febril expressão da imaginação de algum arquiteto fã das naves espaciais, que a fez aterrar neste final do mundo, mais ermo que a Lua, mas a guerra a tudo interrompeu, até mesmo este lindo devaneio, cujo interior era uma ruína, o piso quebradiço, o palco mero fantasma de si, mas ainda assim o camarim estava intacto. Era o Cine Angola, que teve sua finalização desfeita pelo conflito armado, e os empreendedores atuais da nação não o enxergado como prioridade. Não havia espaço para espectadores sentarem-se, apenas o chão estilhaçado, sob aquela abóboda imperfeita e repleta de moradores alados como os morcegos e os pombos, que deitavam seus dejetos sobre quem ali se aventurasse. No palco, apenas ratos, lutando por nacos de filhote de pombo, alimentando os seus e alheios aos lépidos gatos que habitavam os camarins e que de lá planejavam suas investidas. Thomas e Marisol entreolharam-se e permaneceram em silêncio.

Durante a noite Marisol aproximou-se de Thomas, que a acolheu como o fizera na primeira vez em que se conheceram. Estava incomodado com o traje de corsário. Ali não servia. Era-lhe estreito e quente demais, e respirava mais fácil sem ele. Assim sentia melhor aquela pele junto à sua, e o coração a bater e animar aquele corpo que procurava o seu. Mas quem era aquela mulher que parecia querer sumir?

Ela dormiu sobre seu ombro enquanto ele conduzia rumo ao sul. A mente de Thomas vibrava com as palavras de Eri de cima daquela montanha de vidro e aço, reverberando pela Marginal abaixo e pela baía de Luanda, suas palavras de domínio sobre tudo aquilo, sobre o potencial de Angola, e as oportunidades para alguém como Thomas ali. Lembrava da adega de Eri em seu gabinete, das belíssimas safras de Petrus, Le Pin, Margaux, Mouton, Lafite, Latour, Haut-Brion, Cheval Blanc e Ausone, assim como o Barca Velha e o Pêra Manca. O toque da mão de Marisol na sua o distraía daqueles rótulos e das palavras suaves e daqueles olhos intensos de Eri, aquelas mãos que pareciam ter saído do fogo; por trás daquele terno de seda Thomas via um guerreiro, com a lança na mão caçando um leão. Não era o gigantismo desforme e desajeitado de Jan, um descendente de bárbaros do norte, e sim um corpo de atleta, que inspira admiração. Era um corsário, um dos seus, um mestre dos mares. Estava a muitas léguas de distância de Eri mas parecia que estava indo a seu encontro.

Marisol despertou. Havia pouco tempo. Se chegasse a tempo talvez teriam chance de escapar. Um lugar onde a sombra do baobá não chegava. Um lugar sagrado dentro daquele deserto que era o mais antigo do mundo, mais velho do que o próprio baobá, e onde este não ousava entrar. Se ali chegassem, tudo estaria bem.

Chegaram ao final da estrada, e somente a terra marcava os caminhos para o coração do parque do Iona, dentro do deserto do Namibe, para onde Marisol almejava levar Thomas. Ele tinha que conhecer a *Welwitschia mirabilis*, a planta do deserto, que vivia mais do que o imbondeiro, e que descia até trinta metros abaixo da superfície para encontrar água. Ali não chegava a sombra do baobá, pois nada havia para ele tomar, nem objeto nem pessoa, somente uma planta obstinada que vivia onde nada mais conseguia viver.

Thomas foi se sentindo mais leve. A mancha de Eri em sua mente estava cada vez mais borrada, e sua voz um mero eco distorcido embaixo d'água. Talvez aquele homem o havia realmente enganado e Marisol estivera certa desde o princípio. Eri era realmente perigoso e nada do que falara verdadeiro. Mas estavam agora muito longe de Luanda e de Eri. Duvidou que pudessem ser encontrados naquele local. Não era hora de pensar em tais coisas. Marisol estava radiante.

O jipe levantava poeira por onde passavam e era como se tudo que ficava para trás deixasse de existir. Só existiam os dois, e mesmo a estrada de terra à frente era quase uma miragem, assim como passado e futuro. No local mais remoto onde Thomas já havia estado, onde não havia nem um traço de civilização, sentiu-se feliz como nunca antes. Thomas, sem saber por que, lembrou-se do carvalho branco que subia com o coração quando menino. Olhou para os grandes olhos de Marisol. Ele a havia decifrado. Estariam a salvo ali.

Pararam. Desdobraram um cobertor sobre a areia, ao lado de duas folhas que se estendiam de um chumaço central por quase dois metros. Era ela. Haviam chegado. A *Welwitschia mirabilis*, companheira das estrelas, os aguardava. Tinha apenas duas folhas, que se dividiam, mas ainda assim estavam unidas. Formou-se da conjunção de uma planta macho e uma fêmea, como dois corpos entrelaçados e sobrepostos. Nunca para Thomas o tempo se retardara, ou mesmo se dissipara, quanto ali. Quanto tempo ali estiveram, se dias, anos, séculos, ou apenas horas, não era possível dizer. Nem o queriam. Perderam a noção de indivíduo, e nos olhos de Marisol Thomas via apenas as estrelas e as folhas da planta como que revestidas em prata.

Tal como na primeira vez em que se amaram, iniciaram o ritual da exploração das matérias e do imaterial com os sentidos. Marisol buscava os primeiros sabores que conheceu em Thomas, que lhe provocaram tanta alegria e deleite, mas não os encontrava mais. O gosto de Thomas e seus aromas haviam mudado desde a mútua degustação de corpos na vinícola de Jan. Não era o mesmo vinho, não era o mesmo homem.

Peça sem autor, sem bastidores, somente palco:

Cena I

WELWITSCHIA

No deserto, neste palco, não há espaço para bastidores.

DESERTO

Eu sou o palco. Por trás não há cortinado, não há camarim, nem bastidores. Não há o por trás. Daqui vieram as religiões de um só deus, pois não mais do que um o deserto comporta. Depois foi o homem que criou os bastidores.

WELWITSCHIA

Meu caro, és sábio, já viste tudo pois és senhor do tempo, mas por hora, falemos destes dois aí.

DESERTO

Destes dois aí, insignificantes, que se movem feito minhas areias, meros grãos? Eu já vi de tudo, andaram pela minha pele os dinossauros, e queres me ensinar algo?

WELWITSCHIA

Sim, são grãos, mas que belos grãos, cheios de amor.

DESERTO

Me ofendes a dizer isto, a dizer que meus grãos não possuem amor, quiçá maior do que este sentimento fugaz destes dois que queres que eu cubra com meu manto. São apenas dois animais a copular.

WELWITSCHIA

Do pouco tempo que existo, aprendi um par de coisas sobre os seres vivos. Sim, são apenas dois animais, como muitos outros, similares àqueles que vêm morder minhas folhas, ou que passam suas mãos cheias de oleosidade sobre elas e ficam a tirar fotografias em poses ridículas. Sim, são humanos, adoram aparecer, fazer de cada fotografia um pequeno palco para uma pequena glória, vivem destas pequenas glórias, mas estes agora são raros, mesmo entre os seus.

DESERTO

Durante algumas horas se amarão, durante um tempo que se para ti nada significa, para mim é como um grão de areia entre os meus.

WELWITSCHIA

Sim, durante algumas horas se amarão, mas continuarão a se amar, até que mesmo seus grãos, quando deles somente isto restar, continuarão apaixonados.

DESERTO

Não posso negar que são belos, mas o que significa isto para mim, o amor destes dois, que vivem e morrem num átimo sem compreender a existência nem realmente se unir com algo.

WELWITSCHIA

Por isso digo que são raros, pois pelo que estão a fazer, estão chegando à perfeição da espécie, raramente atingida, pois geralmente vivem da mão para a boca, atendendo apenas seus apetites. Estes dois são diferentes. São almas gêmeas. Sei o que estou a dizer. Eu também sou dois. Aqui nasci sob seu manto, no seio da mãe terra, mas na origem fui dois. De uma planta macho e de uma planta fêmea aqui germinadas neste solo abaixo do seu manto, surgiu uma só, algo raro para a minha espécie. Por isso compreendo o que está a se passar com estes dois. Daqui não posso sair, mas não reclamo, pois aqui tenho paz para contemplar o tempo e o meu amor por si, meu manto, meu senhor, e à mãe terra, mais velha até mesmo que si. Afinal somos irmãos, apenas és o mais velho. Há coisas que os mais novos também podem ensinar aos mais velhos.

DESERTO

Suponho que sim, mas creio estar velho demais para aprender. O que aprendi com o brilho das estrelas e com o sol já foi o bastante para me cegar. Agora só sinto cócegas com todos os seres que habitam o meu manto.

WELWITSCHIA

És bem frequentado, meu irmão. Aqui não vive o imbondeiro, árvore sórdida, que suga toda a água e nada deixa viver ao redor salvo as gramas. Por isso decidi aqui viver. Somente aqui consigo estar longe do imbondeiro, que cá não ousa pisar. Aqui sua sombra não me encontrará. Minhas folhas são rasteiras, acostumadas a sussurrar com seus grãos de areia, e minha raiz é profunda, vai até a mãe terra.

DESERTO

Lá isto sei, pois sinto-te a penetrar pelo meu manto até as águas subterrâneas da mãe terra. Estamos em intimidade, por assim dizer.

WELWITSCHIA

Escolhi muito bem o meu lar. Aqui o imbondeiro não quer viver. Aqui é só palco, não há bastidores, nem interiores onde ele possa abrigar a água para si só. Nada tem ele a tirar daqui, pois aqui só habita o amor, e isto ele não entende. Ele só entende o medo, seu senhor.

DESERTO

O imbondeiro decerto nunca vi, mas o medo já vi por estas bandas. Entretanto por cá não encontrou paragem.

WELWITSCHIA

Sim, o medo é o pai do imbondeiro, e o comanda. Quando nasci, achei que todas as plantas fossem amigas, pois dividiam o mesmo solo, o mesmo sol, e precisam das mesmas coisas. Havia o suficiente para todas. Quando conheci o imbondeiro, achei curioso seu tronco bojudo, seus galhos mirrados, e vi graça em seus frutos tão formosos. Com o tempo, vi que havia me enganado. Vi que somente no deserto poderia viver, longe, bem longe dele, que tudo quer para si.

Cena II

Marisol e Thomas juntos, contemplam as estrelas e as folhas prateadas da Welwitschia.

MARISOL

Daqui não regressamos jamais.

THOMAS

Daqui não regressamos jamais. Daqui não há mais volta.

MARISOL

Como soubeste que eu não pretendia mais voltar?

THOMAS

Não foi difícil, agora que sou um só consigo. Decifrei-te.

MARISOL

[rindo] Decifraste-me?

Thomas fica em silêncio, e a beija.

MARISOL

Então estás mesmo disposto a daqui não mais regressar?

THOMAS

Estou. Para onde queres ir? Para a França comigo? Iremos fazer vinhos maravilhosos juntos. Sabias que ficava a pensar nisso o tempo todo quando te conheci, que serias a minha parceira para fazer vinhos belíssimos.

MARISOL

Eu também ficava a imaginar como seria viver contigo na tua vinícola em França. Agora estamos mais próximos de fazer tudo isso se tornar realidade.

THOMAS

Sim, mas precisamos chegar lá primeiro. Ainda estamos distantes da fronteira?

MARISOL

Sim, muito distantes, mas não há caminho de regresso. Amanhã lá estaremos, a salvo, num outro país.

THOMAS

Amanhã é amanhã. Hoje ainda é hoje, e temos ainda a noite inteira para nós, e as estrelas, e este deserto.

MARISOL

E a welwitschia, que está a nos contemplar.

Dormem entrelaçados.

Cena III

WELWITSCHIA

Sinto um leve cheiro a múcua no ar, vindo do norte. Estranho. Minha pele se arrepia. Seria possível ele estar aqui? Mas cá não há nada para ele. Será um daqueles dois que emana o aroma que não sinto há milênios? Este aroma contrasta com tudo o que há no deserto. Cá há somente o cheiro de lua, de areia, de minhas folhas, do gado que por vezes passa a pastar, o cheiro das estrelas, e o vento que tudo leva. Agora há o odor destes dois, mas não me fez lembrar o imbondeiro. Os aromas secos e puros do deserto não combinam com este adocicado em excesso da fruta do imbondeiro, que traz a memória da água de outros campos, absorvida em detrimento das demais plantas. Agora vêm-me às narinas um outro odor, que se alastra, e domina os demais, o cheiro podre da flor do imbondeiro, que fede a carne decomposta. Sinto nojo. É o pior dele, o grande presente de escárnio que me faz. O cheiro domina de tal forma o ar que aroma algum salvo este pode ser percebido. É ele. Quem o havia convidado? O que buscava ali? De certeza não iria ficar. Talvez viesse por causa daqueles dois que durante alguns momentos se tornaram um. Sim, só poderia ser isso. Que os levasse. Que pena, pois eram belos, principalmente a mulher, que a fazia lembrar a noite estrelada. O rapaz nem tanto, pois parecia não temer a sombra do baobá. Enfim, eram belos juntos, mas não durariam. Eram apenas animais, e ela os conhecia.

À esquerda do palco, surge o MEDO.

MEDO

Cheguei para trazer bastidores a este sítio.

WELWITSCHIA

Chegaste, mas aqui não pertences. Aqui não há bastidores.

DESERTO

Tens que partir. Não é seu lugar aqui.

MEDO

Vou onde há gente, onde sempre haverá o medo. Aqui habita o medo.

WELWITSCHIA

Não há bastidores aqui, não há medo, há somente o amor.

MEDO

Um destes me chamou, e cá estou. Só vou onde sou chamado. Não sou intruso em lugar algum. Só regressarei se levar um deles. Este é o meu preço.

WELWITSCHIA

Se foi chamado, não há o que questionar. Há apenas que concluir a transação, para que possas ir-te embora.

DESERTO

Pois como eu dizia, grãos, meros grãos de pó. Minhas areias contêm muito mais amor do que eles, e o medo desconhecem.

Depois tudo aconteceu muito rápido, como era dos animais.

Thomas acordou do que lhe pareceu um longo e maravilhoso sonho e estendeu sua mão para tocar no corpo de Marisol. Encontrou somente a areia. Olhou a seu redor. Nenhum sinal dela. O dia estava para amanhecer. O carro também não estava mais ali. Seria algum tipo de brincadeira? Onde poderia ter ido? Fora buscar mantimentos? Era preciso conversar. Ele não tinha certeza se iria cruzar a fronteira, se realmente queria fugir com ela. Durante algumas horas tudo pareceu não existir, somente os dois, mas quando despertou, sozinho, seu mundo surgiu à sua volta, e com ele, os planos, a vinícola, e a proposta de Eri. Não, não queria fugir de nada disso, pois não havia do que fugir. Marisol haveria de entender. Onde estava ela? Se fosse uma brincadeira, não havia a mínima graça. E se não fosse?

O sol firmou-se como uma das únicas presenças. A areia era a outra. Ele não era uma welwitschia para encontrar água a trinta metros de profundidade. Por falar na planta, onde ela estaria? Parece que haviam arrancado-a, pois não a viu, somente um buraco fundo em seu lugar. Quem faria coisa tão besta? Via somente uma confusão de pegadas e as marcas dos pneus do jipe. Pensou em segui-las, e por alguns minutos o fez. Depois parou e refletiu. Seria como ir em direção do conhecido. O conhecido naquele instante não o pareceu agradável. Preferia o desconhecido. De todas as formas, não poderia regressar para o norte, por onde vieram. Estava muito distante das aldeias que passaram no caminho. Não sabia o que havia ocorrido, mas algo lhe dizia que o melhor seria andar para o sul, para tentar chegar à fronteira com a Namíbia. Era o plano de Marisol. Tinha que seguir até onde os pés alcançassem, onde a cabeça conseguisse se manter sã. Não pensou que iria muito longe, mas para o norte não mais iria.

Horas se passaram, e o sol fez seu trabalho sobre Thomas. Sentia-se como seu vinhedo, suas uvas, sendo secadas, esvaídas de força vital pelo impiedoso calor. Seus lábios em carne, como os bagos da uva sem pele, esvaindo-se o suco pelas hastes, suas pálpebras derretiam como se fossem feitas de cera, fazendo assim o sol queimar seus olhos sem descanso ou possibilidade de fuga. Largou tudo que pesava sobre seu corpo pelo caminho. De início, pensou que caso cruzasse com algum veículo, teriam utilidade o celular de platina tão pesado que Eri o havia oferecido, assim como o acendedor de charutos de ouro para fazer lume, porém, conforme o dia e seu corpo foram se arrastando, estes objetos ele deitou ao deserto, que os engoliu rapidamente, pois ali não tinham qualquer utilidade. O telefone, com rastreador, já tivera sua utilidade na noite anterior, e não para Thomas. Agora nem mesmo ele tinha utilidade, ao deserto, ou a pessoa alguma. Por fim, cansou-se, e deitou sobre a areia tal qual fez quando esteve com Marisol na noite anterior, entregando-se, e sem se importar com o tempo. Afinal, que importava o tempo, se era mesmo o fim.

7
Os pastores

O DESPERTAR depois da morte é um tanto curioso.

Ouvem-se vozes. Pensamos que as conhecemos. Nada tememos. Afinal estamos mortos. O grande medo que havia em vida já não tem mais razão de ser. Respira-se com um certo alívio. Então, rapidamente, o odor que nos agride nos faz suspeitar que talvez não estejamos tão mortos assim, pois algo fede, não condizendo este odor atual com o que costumamos associar com o porvir. Acomete-nos eventualmente a ciência de que não, não morremos afinal, ainda estamos do lado de cá, materializados, e que não, não conhecemos estas pessoas a nosso redor. Quem seriam estes que falam este idioma estranho, vestindo trajes ainda mais estranhos, e que, prova maestra de que estamos vivos, possuem odores um tanto desagradáveis? Cabra, vômito, suor, carne apodrecida, Thomas tentava decifrar a composição daquele complexo e horrível aroma. Não havia uma só nota que ele estivesse acostumado a encontrar nos vinhos. Não estava, portanto, no paraíso dos enólogos, para onde eram levados após a morte, para campos e vinhedos onde todas as vinhas têm milênios, onde o verão é quente no tempo certo, e a chuva também se manifesta de acordo com as necessidades das uvas; o solo possui a composição química impossível de se obter no mundo dos vivos, e a sala de fermentação é um verdadeiro laboratório de milagres. A mão de Deus estaria em tudo neste lugar. Não, não era ali que Thomas estava, e nem sabia se, quando morresse, para ali seria encaminhado.

Talvez fosse conduzido ao inferno dos enólogos, onde o solo é molhado, pobre, sem minerais; imperam as frutas tropicais e as pestes; as vinhas nascem e padecem sem atingir a maioridade, e o clima é pestilento, sempre quente, forçando as uvas a cada vez mais serem recolhidas antes do tempo ideal, gerando vinhos maus, ácidos demais, que queimam ao descer o esôfago e chegam no estômago como um gato, lacerando as paredes para dizer, olha, aqui estou, vais ter que me aguentar por algum tempo até eu me cansar de te lastimar com minhas garras afiadas. Sou o vinho Gato de Lúcifer, e sou primo dos destilados feitos em garagens, oficinas mecânicas e de alambiques das gentes porcas. No Rhône o clima estava se aproximando deste dos infernos. Teria que plantar oliveiras? Aliás, estaria ele então no inferno? Fedia como tal. Teria realmente morrido? Talvez a morte fosse somente um pouco pior do que a vida neste planeta que se aquece, como um calor que nunca se esvai.

"Quer água. Dá água pra ele. Está delirando."

Não estava no inferno. Ainda havia uma certa solidariedade.

"Obrigado."

"Não tem de quê."

Pensou que talvez estivesse sim no inferno afinal. Aquilo não era água. Era um achocolatado de barro.

Tiritava o português daquele homem que o ofereceu a cumbuca. Era um som bonito que saía de sua boca de poucos dentes. Algo que ele não ouviu dentre os de Luanda. Não sabia por que mas lhe lembrava a voz de uma professora que teve no liceu, cujas vogais pareciam os seixos rolados que se espalhavam pelo solo da vinícola. Ele havia se apaixonado por ela, uma jovem recém-saída do magistério. Não fora o único a direcionar seus impulsos românticos de adolescente àquela corsa de olhos azuis e sobrenome italiano que falava um francês meio cortado. Alguns outros colegas também a homenageavam nas masturbações em grupo. E, no entanto, ela não pareceu interessada no rapaz impetuoso que sempre dizia que queria partir para a América e ficar milionário. Seu charme natural que depois seria aperfeiçoado não a encantou, diferente do que acontecia com as meninas do liceu, que o tinham como um dos ídolos masculinos. Chamava-se Aude, e apanhava carona com o professor de História, aquele velho do paletó sujo e tendências comunistas, que sempre tinha a barba por fazer.

Já a voz daquele homem que lhe dirigiu a palavra parecia algo inventado. Era como se sua língua habitual fosse um idioma usado para se falar com os animais, e que isso lhe vinha nas entonações e nos acentos que impunha a cada palavra. Para Thomas, que não era um nativo no idioma, lhe causava ainda mais estranheza. Aliás, tudo ali era bizarro. Estava dentro de uma choupana que fedia a estrume de vaca. O chão era de terra batida, e ao canto queimava uma pequena lareira de barro alimentada com gravetos secos. Queria mais água, mas esta tinha um sabor horrível.

"Chega. Agora não. Agora descansa."

Thomas sentiu sua língua voltar a ter movimento, e tentou falar, mas não conseguiu. Parecia ter areia dentro de si, como um espantalho. Desistiu de tentar manter a cabeça acima do solo para tentar ver melhor onde estava e com quem falava. Preferiu deixar-se ficar, fechar os olhos e somente ouvir o crepitar dos gravetos no lume, e se concentrar no único cheiro que lhe era agradável, um certo queimar da lenha que ia e vinha em suas narinas, já imunes aos fedores que tanto lhe arrepiaram de início. Tudo era uma questão de costume.

Ao final de um dia, ou uma semana, não soube ao certo, tentou se levantar, mas ainda se sentia demasiado fraco. Dormia mal naquele chão, sem conforto; comia um caldo espesso, e aquele líquido lhe fazia ansiar pela água abundante do rio de sua terra. Tocou com as pontas dos dedos as pálpebras, ainda se recompondo da exposição ao sol. A pele ainda possuía um ligeiro odor a queimado. Passava a maior parte do tempo ali no escuro, enquanto ouvia os passos e o falar dos que de fora da choupana se aproximavam o suficiente. Pouco entendia da língua que se falava ali. Devia estar em alguma tribo no meio do deserto do Namibe. Pensou em Álvaro, que provavelmente adoraria poder estar entre eles. Talvez até deixasse de pintar imbondeiros para representar esta gente.

Sim, havia sido resgatado da morte certa, não sabia como, perdido que esteve em meio a toda aquela areia e todo aquele sol, e nem sabia por quê merecia estar vivo. Sem saber o motivo, quis chorar. Viu suas lágrimas rolarem dos olhos, correrem pela face abaixo, pelas bochechas, salgadas, vencendo os sulcos das queimaduras, a pele mais sensível sentindo as águas, e foi melhor assim. Ouviu as gotas caírem sobre o solo da casota. Quis chorar mais.

Era hora de voltar para casa, para Max, para Romain, para suas uvas, sua casa de pedra, e não esta, de estrume de vaca, não de terra batida e sim chão de pedra, casa que se impunha sobre o monte e que com suas altas janelas emoldurava o vale manchado de lavanda e o vento do Rhône. Sentiu-se como que aprisionado naquele deserto, naquela casota primitiva, em meio a toda aquela gente que tão pouco parecia haver, e quase que tateava no escuro na língua portuguesa. Terra pobre, onde nada crescia, onde não havia vinho, e nem mesmo a água era pura. Já havia fugido tempo demais, já havia ido longe demais em suas férias. Era hora de voltar e assumir as responsabilidades da vinícola, erguê-la novamente, fazer o seu grande vinho internacional, sabor que agradaria a todos e assim atingiria um grande sucesso de mercado. Claro que nunca poderia dizer isso, como todos os que orientaram suas produções para o grande público, que diziam fazer vinhos únicos, com *terroir* único, em condições climáticas únicas, etecetera. Era o palco, a magia, e por trás disso estava apenas a vontade de vender mais.

Agora se encontrava ali prostrado num chão de terra sujo fedendo a estrume, dependendo da compaixão de estranhos que mal falavam uma língua que ele tampouco dominava. Estava muito irritado com a precariedade de sua situação. Onde estava seu celular, e suas notícias? O mundo poderia ter acabado e ele não saberia, ali onde estava, no fim do mundo.

A choupana era um tanto vazia e apertada. Não havia televisão, móveis, cômodos, somente um espaço único de teto baixo para se dormir e fazer lume. Andava-se de gatas. Sabia que estava entre aquelas tribos que não reconheciam fronteiras e viviam no deserto do Namibe há mais de vinte mil anos. Eram os primeiros homens, segundo alguns estudiosos. Talvez fossem os últimos. Havia visto certa vez um filme sobre a tribo que recebe a visita misteriosa de uma garrafa de refrigerante deitada céu abaixo por um piloto de avião, e causa tremenda perturbação no modo de vida harmonioso conquistado pela tribo e seus ancestrais durante milênios. Esperava que não fosse mais uma garrafa de refrigerantes. Tinha dificuldade em se mexer, mas tinha ganas de sair para ver quem eram as pessoas por trás daquelas vozes que se mesclavam com o mugir das vacas. Sim, estava certo de que era uma daquelas tribos de bosquímanos, ou khoisan. Não tinha certeza, mas acreditava que uma namorada que teve na adolescência, um tanto zelosa pelas tribos remotas do mundo, e hoje uma tediosa militante do Partido Verde, alguém que não se cuidou como mulher e hoje parecia um homem, o fez assistir um documentário sobre eles, e o queria levar para visitá-los na Namíbia.

Recordou-se de frases do documentário sobre a tal tribo dos khoisan, dentre elas uma que sua namorada gostava de repetir, Como podemos amar os outros com tantas possessões? Ela dizia que era um exemplo de sabedoria destes povos, e que a civilização, com tantas possessões, não mais sabia amar. Ficou em dúvida se não seria um documentário sobre os pigmeus. Ele naquele tempo procurava não discordar da namorada, pois tinha certo apreço por um generoso par de atributos daquela moça. Já fazia tanto tempo. Ou talvez tivesse sido mesmo na escola, na aula de Aude, que viu o documentário sobre a tribo, e com a namorada dos fartos seios o filme da Coca-Cola e dado gargalhadas que a fizeram terminar com ele por achar que ele havia desrespeitado aqueles seres humanos adoráveis e puros, apesar do filme ser uma comédia. Estava desorientado, convalescendo, e misturava as memórias. Nunca havia prestado muita atenção a tribos mesmo.

Sua ideia sobre elas baseava-se mais em torno do sentimento de pena do que admiração. Por que se sujeitavam a viver naquelas condições, onde a água era escassa, onde não conseguiam plantar, e portanto tinham pouca comida excedente, onde ficavam tão à mercê do deserto e do pouco que colhiam das árvores e dos animaizinhos que conseguiam caçar a duras penas? Via isso como uma forma de teimosia, como a de Álvaro, em não querer ver que a maioria da humanidade tinha outras necessidades, de criar, juntar, cobiçar, ganhar, conquistar, amealhar. Talvez esses fossem os comunistas perfeitos de Álvaro, pois que tinham tão pouco, e então fazia-se fácil a partilha. Quando se tinha muito, entre muitos, era impossível dar certo. Se numa família há sempre discussão e desacordo, imagine numa sociedade.

Thomas os ouvia gritar, assoviar, e bater os pés do lado de fora da choupana de barro e estrume de vaca. Por que não se juntavam ao mundo? Por que toda tribo preferia viver isolada em seu modo de vida primitivo, bruto, sujeito a doenças que o mundo moderno já havia dominado há séculos, sem saber contar até mais do que três, e sem poder conhecer o sabor de um Côtes du Rhône, de um *veau limousin*, sem conhecer de filosofia, de história, de literatura, e principalmente ciência. Era uma grande perda.

Após alguns dias sendo alimentado a base de um ralo caldo que lhe parecia conter sangue de boi, sentiu-se forte o suficiente para pedir para sair da choupana. Ao ver o sol, caiu de joelhos. Nada sentiu na pele, então levantou-se e abriu os olhos. Olhou à sua volta, dando passeios com os olhos pelos olhares intensos dos que o fitavam, pelos galhos das poucas árvores, e pelo gume daquela faca ao horizonte e riu consigo mesmo. Como fora parvo. Não, este não era o povo antigo, os primeiros homens, os khoisan de pele bege do filme da garrafa de refrigerante, os comunistas modelo. Eram distintos. Eram negros, como os angolanos, e tinham gado. Deu consigo de como fora ignorante. Se havia bebido sangue de boi e a casota era feita de estrume, não poderia estar entre os khoisan. Havia errado a geografia e a tribo. Era também muito a pedir de alguém que quase havia padecido de insolação e desidratação no deserto do Namibe e também há pouco descobrira onde se situava Angola.

Era então uma outra tribo, de pastores. Belíssimos os seus bois, com chifres reluzentes, apesar de um tanto magros, e que couros magníficos usavam em seus corpos. Desta tribo não vira filme coisa alguma. Seriam como os Masai do Quênia e da Tanzânia, então, porém sem os turistas? Era um grupo um tanto pequeno. Não lhe pareceu que recebiam visitas, nem mesmo de outras tribos. Via-se sempre cercado pelas crianças, que o olhavam dos pés à cabeça, e tocavam sua pele, para depois saírem correndo em gargalhadas. Definitivamente não estavam acostumados a visitantes estrangeiros.

Pareceu-lhe que estavam plenamente à vontade onde viviam, e não viu ninguém infeliz. Não viu psicólogo ou psicanalista. Alguns sentavam-se acocorados no chão afiando pontas de lanças de ferro com pedras. Outros iam e vinham com o gado, sua maior e mais valiosa propriedade. Não viu xerife, nem prefeito, nem coletor de impostos, ou mesmo um político. Viu mulheres a fazer casas com o estrume de vaca, e as viu parir somente com a ajuda de uma parteira. Não havia exame pré-natal, ultrassom, escala de Apgar, método pedagógico, pediatra, tampouco fórmula alimentícia, sem a qual as francesas não viviam. E ainda assim os bebês cresciam. Quando alguém vinha-lhe falar, ele pouco entendia. Somente um ou outro falava o português. Curiosamente, o chamavam de português. E a noite, todos à beira da fogueira, contavam histórias.

Infelizmente ele nada entendia do que diziam, pois as histórias pareciam incríveis.

Juntava-se a eles para comer quando comiam, e dormia quando dormiam. Não soube dizer quanto tempo passou entre eles. Sua barba cresceu tanto que mal se reconheceu quando viu seu reflexo numa jarra d'água recém tirada de um poço. Algumas mulheres puxavam os pelos brancos e esfregavam o chumaço entre os dedos, gerando risos entre os demais.

Ele viu-se na obrigação de os ajudar, pois não queria ser um peso para a comunidade. Ajudou a fazer casa, mesmo sendo trabalho das mulheres, apanhando gravetos, fazendo barro, e coletando estrume para o teto da choupana. Acompanhou os pastores a levar o gado ao mato quase seco próximo a um pequeno riacho. Ajudou a afiar lanças, e estaria pronto para um ataque a uma tribo inimiga caso o intimassem a participar. Mas estes eram pacíficos. O seu maior inimigo era mesmo a fome. O gado vinha morrendo. O solo estava cada vez mais seco. Os poucos riachos definhavam com o passar dos dias. O que seria deles se seu modo de vida acabasse? E se tivessem que ir viver na cidade? Se arrependeu de seu pensamento anterior, de que estas tribos remotas deveriam se juntar à grande massa da humanidade em cidade e campos civilizados. De livre escolha, para sair de suas vidas, de suas realidades, não o fariam. Talvez fosse necessário que ficassem ali mesmo, para nos lembrar de algo que esquecemos.

Das poucas coisas que entendeu, uma era que diziam que ele cheirava mal. O sentimento era mútuo, mas ele se envergonhou. Diziam que ele cheirava a morte. Havia um deles que nunca se aproximava. Era mais velho, e parecia ser cego. Pareceu ser o pai ou tio de um outro que se apresentou como chefe, e que pediu os sapatos de Thomas em troca dos seus, feitos de borracha de pneus. Ficaram apertados em seus pés enormes, mas isto ele resolveu de forma simples, cortando a frente dos calçados para dar espaço a seus dedos salientes. O mais velho nada dizia, ficava apenas observando, de longe, próximo a um arbusto, batendo a ponta de uma lança no chão.

Thomas já havia passado algumas semanas com eles, ou assim o calculou, e já estava se acostumando com o ritmo da vida dos pastores. Em breve partiriam para um outro local. Ele estava pronto para os acompanhar. Um dia chegou uma caminhoneta na aldeia, levantando poeira, e o fez imediatamente resgatar seus planos para ir embora. A caminhoneta foi um emissário de seu mundo, para o lembrar que sua realidade era aquela, a da caminhoneta, do diesel, da fumaça preta que seu cano de descarga expelia. Saltou dela um par de membros da tribo, e começaram a descarregar mantimentos, barris de plástico para armazenagem de água e também combustível, pneus para o próprio caminhão, e panelas de ferro.

Deviam fazer fretes, trazer mercadorias, talvez em troca de couros de seus bois, ou algo assim. Se o deserto um dia os falhasse, ali estava o transporte que os levaria à cidade. De qualquer forma, surgiu a oportunidade de Thomas poder deixar o deserto e voltar ao seu mundo. Tinha que chegar até a Namíbia. Não podia mais voltar para o norte, disso ele tinha certeza. Uma coisa o detinha. Era belo observar a solidariedade entre aquelas pessoas. Lembrou-se das histórias de seu avô, que contava que naqueles tempos todos se ajudavam durante a época da colheita das uvas. Logo a caminhoneta estava por partir novamente. Desta vez ia para o sul. O condutor falava português, muito melhor do que os demais da tribo.

"Sim, posso levar, até fronteira."

Quando subiu na caminhonete, Thomas notou que o velho cego finalmente deixou o arbusto onde mantinha vigília e desapareceu.

A estrada não diferia da que Marisol e Thomas percorreram para chegar até o local onde ela desapareceu. Em menos de um dia, no ritmo lento da caminhoneta, avistou o posto fronteiriço que dividia Angola e Namíbia. Agradeceu ao condutor, que lhe acenou e seguiu para algum estabelecimento próximo para se abastecer de mercadorias.

Sem passaporte, sem documentos, todos tendo desaparecido junto com os víveres que havia no carro, Thomas explicou sua situação ao guarda do lado de Angola. Este foi taxativo.

"Então não podes passar, meu caro senhor."

Thomas o observou, atônito.

Do outro lado, a Namíbia. Fitava intensamente o pôster de uma cerveja sul-africana na parede de um bar além da fronteira. Ali estava a civilização novamente. Ali se conectava com o seu mundo. Poderia pegar carona com algum caminhão até a capital, Windhoek, e de lá pedir ajuda na embaixada francesa, para assim poder pegar o primeiro voo para a África do Sul e logo para a França. Já se via voando, acima de África. Do lado de cá, a prisão intranquila e não escolhida, o equívoco.

"Preciso atravessar."

Suplicou com a voz e com os olhos, tentando demonstrar o quanto fora fustigado sem merecimento, o quanto fora punido e já era o bastante. Será que não via sua pele maltratada, sua boca ainda descosida pelo sol do deserto, as curvas ao redor dos olhos, as fendas sobre a testa, e não compreendia o quanto já havia sofrido sem ter nada feito?

"Isto o senhor já disse. E eu já respondi."

O oficial voltou à sua atenta leitura do *Jornal de Angola*, cujas páginas de singular odor, do lado onde Thomas estava, anunciavam a inauguração de mais uma escola numa remota província pelo governo, mais uma creche, mais um hospital, e a chegada do asfalto a um vilarejo distante. De certeza que ali não era, pois o asfalto começava do outro lado da fronteira.

Dali não viria ajuda. Thomas recusou-se a oferecer aquilo que o oficial insinuava, uma proposta de valores que tipicamente tinha o poder de amolecer a rigidez das leis e dos oficiais angolanos. O oficial observou o branco queimado sair. Voltou à sua leitura, crente que o homem iria voltar com dinheiro. Eles sempre voltavam. Iria exigir um preço bem alto. Não havia gostado da cara dele, e daquela voz de sofredor. Ele conhecia bem o sofrimento, daqueles que sofriam todos os dias. Afinal era um ser humano também, e coisas assim ajudavam a incrementar o reduzido salário, que nem sempre as autoridades lembravam-se de honrar. Este havia sido queimado pelo sol e agora queria clemência, queria tratamento especial. Daria o seu tratamento especial a ele. Perfeitamente.

Thomas andou um pouco pela pequena aglomeração de casas e trailers, até que viu a caminhoneta do pastor ainda por perto, e voltou até ela.

Explicou sua situação ao condutor, que compreendeu tudo, ainda mais por saber que Thomas não tinha mesmo dinheiro algum, e isso em Angola era como não ter dentes na boca.

"Suba. Vou dar um jeito", respondeu o outro, querendo muito se ver livre daquele homem que carregava a sombra dentro de si. A vida já era muito dura para aquele povo, e não poderiam abrigar um fugitivo da lei, alguém que segundo lhe disseram em algum posto de polícia, era um procurado muito perigoso que havia raptado a mulher de um político importante de Luanda e a havia enterrado no meio do deserto. Não soube até quanto acreditar no que os angolanos diziam; estava acostumado a ouvir exageros, e no entanto desde que se deparou com aquele homem branco, viu que estava perturbado com algo, que não estava ali por acaso, e que deveria partir. Não o iria entregar aos angolanos. Eles que tivessem o trabalho de o procurar. Nada faziam por seu povo os angolanos. Iria deixar o branco partir, e que levasse a sombra consigo.

Thomas entrou num barril vazio que emanava o odor de gasóleo. Não achou ruim comparando aos odores que absorveu durante sua estadia com a tribo. O oficial da fronteira era um velho conhecido do condutor, que sempre lhe dava algumas cervejas, e não costumava inspecionar as cargas. Thomas ouviu o levantar da cancela que separava com tão pouca solenidade as duas nações, e a velha caminhoneta avançou, enquanto o oficial dizia alguma coisa supostamente engraçada e o condutor respondia com risadas e simpatia profissional através de seus dentes brancos e refilados.

"Mais uma vez, não sei como te agradecer".

"Não precisa. Você precisa ir. Não falar outros. Não falar estamos aqui. Melhor assim. Esquecer. Herero fora do mundo. Mundo acaba. Herero não."

O trajeto foi tal e qual ele havia planejado. Uma rápida conversa no bar, e se viu no banco do passageiro do carro de um descendente de alemães chamado Ludwig, que vivia em Lüderitz. Não entendeu bem o sobrenome, e não houve oportunidade de perguntar novamente. Era dono de uma pousada na região do parque nacional do Etosha. A história de Thomas era tão inverossímil e ao mesmo tempo sentia-se tão pouco à vontade de se abrir com o alemão que preferiu falar sobre vinhos. O alemão pouco dizia, não estimulando a conversa. Talvez fosse mesmo um devoto do pão líquido, como era a tradição germânica, e pouco lhe interessassem os vinhos. Quando as fracas tentativas de comunicação de Thomas esmoreceram, o germânico rapidamente ligou o rádio e começou a cantar com a garganta uma música *country* em alemão. Thomas aproveitou para dormir, e esperou que Ludwig não fizesse o mesmo. A paisagem era insossa, monocromática e plana, quase como a música. Parecia que o alemão só tinha mesmo aquela fita.

Em Windhoek chegou às portas da embaixada. Não contou toda a sua história, apenas que havia sido assaltado em Angola e tivera dificuldades em atravessar a fronteira. Obteve recursos para poder voltar para a França, e também o convite da vice-cônsul para provar um vinho que acabara de receber pelo malote diplomático, uma notável safra de Chinon, terra de Rabelais, adicionou, como se falasse de um conhecido de ambos. Era uma mulher de trinta anos patentes e mais alguns anos que hesitavam em se revelar naquela pele bem preservada pelos cremes e pelos trajes suaves e brancos.

Olhos claros, e um nariz fino, assim como a boca. Não sabia por que, mas fez Thomas lembrar-se da tal namorada partidária do verde, ela que havia sido sua catequizadora no evangelho das tribos inocentes e puras de África com seus documentários produzidos por antropólogos que tanto emblematizaram os anos sessenta, a década das utopias, com suas teorias enaltecendo a selvagem natureza humana. Sua casa, num bairro nobre de Windhoek, era decorada com artefatos herero nas paredes, e sua rica estante com muitos livros sobre a colonização em África, sobretudo as das ex-colônias alemãs, como a Namíbia e a Tanzânia, ou como as chamavam até as perderem no tratado de Versalhes, Deutsch-Südwestafrika e Deutsch-Südosttafrika, e o massacre perpetrado pelo avô do nazista Goering ao povo Herero durante a Primeira Guerra. Tinha também em destaque livros de fotografias de África de Leni Riefenstahl, ela que tanto contribuiu para a imagem mítica do Terceiro Reich.

Após um jantar composto principalmente de milheto, sorgo e carne de soja, que estranhamente harmonizaram-se de forma agradável com o vinho que Therése havia tanto anunciado, um Chinon franco, bem estruturado, evocando nozes e tâmaras, Thomas dormiu numa cama com lençóis de seda como há tempos não fazia. O perfume sintético de lavanda do sabão em pó na roupa de cama o enterneceu. Comparou-o à lavanda dos campos ao longo do vale do Rhône. Recordou-se dos cheiros da cama da filha mais nova de Álvaro, na casa da Maianga, e sentiu saudade daquele seu amigo que talvez nunca mais fosse ver.

Aquela mulher de tão suave voz ao falar por fim roncava, mas isso pouco perturbou Thomas. Na manhã seguinte quando desceu, após um longo banho, absorvendo a água que tanto lhe fora escassa no deserto, Thomas surpreendeu-se com o esmero do café da manhã de fim de semana. Bolos de milheto, de soja, granola, mel, bananas, iogurte, e a maior das surpresas, uma *baguette* fresca e quente, e manteiga de Baratte ao lado em um pote. Do que um malote diplomático não seria capaz?

Therèse vestia trajes típicos de uma tribo local, que havia comprado para ajudar artesãos da mesma, e seus utensílios e tigelas também era do estilo tribal que tanto lhe parecia precioso. Falaram do clima em Windhoek, das belezas do Etosha, da Skeleton Coast, das Quedas do Ruacaná. Thomas olhava Therése falando sobre todos estes lugares, mostrando fotos dela e as colegas de trabalho em cada um deles, e imaginou que recebia um apelo para visitar estes mesmos sítios, para que dessa vez as fotos estivessem preenchidas com um casal se abraçando em meio à beleza árida. Preparou-se para um convite a assistirem um documentário sobre os pigmeus das florestas do Congo, ou sobre os khoisan do Kalahari, ou para uma viagem ao Etosha. No entanto Therése, boa leitora, lavou rapidamente as louças e tratou de conduzir Thomas ao aeroporto. Um tênue sorriso e um leve aperto de mão bastaram para encerrar para Thomas sua aventura em África.

8
O tempo

O TEMPO é uma página em branco.

O Château estava abandonado. O carvalho branco partido e estilhaçado e carbonizado ainda estava no mesmo lugar, monumento à ruína que se alastrava pelo local. Romain havia adoecido e tivera de ficar de cama durante quase todo o tempo em que Thomas estivera fora. Thomas surpreendeu-se quando fez as contas e constatou que havia se ausentado por mais de seis meses. O tempo não parecia ter passado tão rápido na aldeia dos pastores. Max havia sido cuidado pela esposa de Romain, e mesmo com muitos afagos ele não virou-se no chão de barriga para cima com as patas dobradas ao lado e lambeu a mão de Thomas, como antes fazia. Seguiu para dentro da casa de pedra como se esta fosse sua verdadeira dona. Dormiu na cozinha, e não na cama de Thomas, vigiando a chaleira azul da mãe de Thomas, como se esta fosse apitar a qualquer momento com o ferver da água.

Um dia Thomas foi ter com seu vizinho. Parecia mais velho o Sagnier, com os cabelos agora todos brancos e um leve cair do queixo. Não falava coisa com coisa. Ficava balbuciando. A esposa disse que teve um derrame pouco depois da tempestade. Thomas sentia que havia voltado para um outro lugar, um outro tempo. Não reconhecia mais a paisagem. Um ou outro proprietário com um vinho de maior reconhecimento no mercado havia vendido pelo preço que pôde a um negociante da região, e Thomas acreditou que muitos seriam os que assim o fariam se pudessem obter um preço atraente. Mesmo com os subsídios, as contas não fechavam. Sagnier ficava na cadeira de balanço da varanda que recebia os visitantes a sua casa, fumando seu cachimbo, e olhando o céu, como se ali morassem seus pensamentos. Thomas olhou para a vinícola de Sagnier, as uvas ainda no porvir, as vinhas aguardando a primavera para florescer, e muitas dúvidas sobre como seria o verão e o outono, se mais uma vez iriam ter comportamento errático.

Uma das primeiras coisas que Thomas fez, mesmo antes de avaliar os danos ao vinhedo e traçar um plano para recuperá-lo, foi procurar os livros de Álvaro que lhe haviam sido roubados naquela noite sem iluminação frente à casa na Maianga, pelos rapazes de moto. Penou um pouco para encontrar o volume sobre Magyar e o de Welwitsch. O de Livingstone foi muito fácil, como quase tudo em língua inglesa. Ainda tinha o endereço decorado. Embrulhou os livros num pacote, envolveu em papel, e escreveu uma carta ao amigo, perguntando de Dona Eunice, das meninas, e de seus quadros. Havia conseguido voltar a pintar? O que estava pintando?

Aguardou ansiosamente por uma resposta de Álvaro. Enquanto isso tratou de cuidar de seus vinhedos. Havia muito o que fazer, mesmo se as incertezas do clima o deixavam desanimado. O tempo iria dizer se venceria ou não. Teria que estar preparado. Ou então fazer como muitos estavam dizendo que fariam, sacar todas as vinhas do solo e plantar oliveiras, como o faziam em Espanha, terra árida. Imagine só, numa região tradicional de vinhos, vencida pelo clima inclemente, que vinha trazendo a areia do Saara mar acima. Pensou em plantar apenas Syrah, uva resistente ao calor, prolífica na África do Sul, na Austrália e na América do Sul, mas perderia grande parte das características de seu vinho, construídas por seu pai e por seus antepassados durante tanto tempo, com uma mescla de cepas, algumas delas um tanto raras.

Uma ou outra hora olhava para o cume da colina para ver seu carvalho branco carbonizado e se arrependia. Trabalhava sem prazer, apenas por necessidade, sem saber se teria vinho no final do ano, ou se venderia a vindima à cooperativa. Tinha que ajudar Romain, que, impossibilitado de trabalhar, mesmo assim tinha família e dívidas. Preferia nem pensar nas suas contas, e via o local onde ficara seu carro agora sendo tomado por grama alta, por onde Max passava à caça de perdizes. Acordava cansado ao raiar do dia, como se tivesse andado a noite inteira a procura de algo. Sentia febres inexplicáveis no meio da noite, suores, e às vezes tinha que se agarrar nas hastes das vinhas para não cair em meio ao vinhedo. O vinho saía azedo. Parecia que as uvas careciam de algo. O tempo continuava errático. Ora chovia demais, ora estiava demais.

Aquilo que havia procurado quando partiu não havia achado, e encontrou coisas piores ao voltar, fora e dentro de si. Pior, havia perdido algumas das coisas que valorizava. Nem seu cão gostava mais dele. Romain pouco conversava, e não parecia muito à vontade em sua presença, preferindo assistir ao jogo do Olympique na televisão, nas poucas vezes em que Thomas insistiu em visitá-lo em casa. Com a esposa de Romain falou um pouco mais. Cécile dizia que não era para se preocupar pois Romain já recebia a aposentadoria, assim como ela, e que antes trabalhara por prazer, mas agora preferia ficar em casa. Romain e Cécile, que estavam em todas as fotos emolduradas da família na parede e sobre a estante, aquele casal que tanto frequentou sua casa durante sua infância, que cantou parabéns a ele durante tantos anos, a mulher inúmeras vezes fazendo seu bolo de aniversário, e também a culinária do dia a dia, pareceram-lhe dois estranhos, e confidenciou a si mesmo que tinha a certeza que pensavam o mesmo dele, que não mais reconheciam aquele que fora o menino Thomas, que subia no carvalho branco, que sentava no colo do avô, e corria com Max pelo campo na juventude. Quem era aquele estranho que havia voltado cheio de agruras e negrume de suas andanças? Diziam que esteve em África, que havia conhecido por lá uma mulher, mas que as coisas não correram bem. Estaria morrendo de amores? Logo Thomas, que era um garanhão, um conquistador, que recebia na vinícola tantas moças lindas de Paris, para o deleite de Romain, que provocava Cécile e depois levava beliscões. Sim, aquele mesmo Thomas que depois despachava as belas moças ao final de cada fim de semana, sem mesmo as levar de volta à estação, agora estaria esmorecendo por causa de uma mulher? Não era possível. Havia algo mais ali, diziam um ao outro na velha cama que rangia como as articulações dos dois, antes dela apagar o abajur. Pouco depois, dormiam sob as colchas de lã já puídas de tantos anos de uso, não sem antes rezarem para que Thomas se recuperasse e tomasse o controle da vinícola, para o Château K voltar a ser o que sempre fora, um grande vinho na região, respeitado por todos.

Num dia de inverno, Max levantou-se da letargia que o havia tomado desde que Thomas havia regressado. Voltou-se para o lado da estrada e retesou o corpo em atenção. Fazia muito tempo que Thomas não o via assim, alerta, desperto. Parecia pronto para caçar. Seria uma lebre? Finalmente latiu, ao passo que crescia o ruído de um veículo. Thomas saiu de casa, e esperou. Por fim apareceu uma van no alto da colina, se aproximando pela estrada, em direção à entrada da vinícola. Era o homem dos correios. O que traria, naquela caixa enorme, estreita, medindo ao menos dois metros de comprimento? Thomas verificou a documentação antes de assinar a recepção. Angola. Não esperou o carteiro ir embora, nem levou o pacote para dentro. Ali mesmo o abriu. Dentro estava um volume ainda embrulhado. Rasgou o papelão até encontrar o conteúdo. Ficou visivelmente emocionado, mas conteve-se diante do carteiro, que olhava com curiosidade para o pacote que viera de tão longe.

Álvaro não só o havia respondido como havia lhe enviado um quadro. Levou-o para dentro e o situou contra a mesa, para o observar com a luz da janela. Uma welwitschia habitava aquela tela, serena, em meio a um deserto, como uma vitória régia flutuando sobre o rio Amazonas. Não havia uma sombra, somente iluminação, sob um traço decisivo, forte, certeiro. Era a melhor tela que já havia visto em sua vida. Dois anos já haviam se passado, e Thomas nunca mais tivera notícias de Angola. Aquela tela então surgiu como um portal para um lugar onde esteve por tão pouco tempo mas que havia seccionado sua vida, assim como o raio havia talhado em dois o carvalho branco. Uma carta acompanhava a tela.

Álvaro iniciava dando saudações ao amigo Tomé que havia desaparecido sem dar notícias, mas que se dera ao trabalho de devolver os livros que haviam sido roubados naquela noite na Maianga. Seguia agradecendo o envio dos livros, mas avisava que não havia sido preciso, pois os ladrões acabaram por devolvê-los quando viram que pertenciam ao Bruxo da Maianga. Do Bruxo tinham medo de roubar os pertences, para não serem amaldiçoados. Eram miúdos perdidos, que um dia a polícia iria apanhar e dar sumiço. Era questão de tempo.

A mais nova estava grávida de um ex-professor do liceu, e a mais velha havia deixado Angola com um engenheiro sueco, a bandida! O gajo tem quase a minha idade, e também tem filhos lá em Estocolmo. Um tanto parvo me pareceu. Um daqueles gajos que sempre usam a mesma camisa às segundas-feiras, e quando vêm para Angola provam pela primeira vez o gosto da liberdade. Mas o que se pode dizer, não somos nós que os escolhemos. Foi muito bondoso com Eunice e comprou-nos um televisor enorme, uma aberração, HX, ou HD, ou algo assim. Vê-se os poros das gentes, que horror! Quase compete em tamanho com as minhas telas, então decidi as fazer maiores. Eunice ficou um tanto entristecida com a partida da filha, porém o rebento prestes a nascer a deixará contente, tenho certeza. A caçula anda a comer de tudo, abusando da boa vontade e dos préstimos da mãe. Está mesmo enorme. Não esperava já muito daquele borra-botas do professor do liceu. Dizem que foi pra Tuga e sumiu. Sumiu da vida dela, isso sim. Deve estar na Ilha a procurar outras jovens a quem ensinar suas lições. Mas não importa. Será um belo rapaz. Pensamos em dar-lhe o nome de Thomas, em sua homenagem. Gostas?

Sobre a pintura, sim, ia bem. Passara a pintar somente *welwitschias*. Havia ganho diversos prêmios com a série de *Welwitschias* que pintara em mural para o hall de entrada da nova sede de uma petrolífera. Suas telas estavam valorizadas como nunca. Agora o assédio de *marchands* e galeristas era ainda mais frequente, e Dona Eunice havia até comprado uma cafeteira para os servir. A ele, Álvaro, ela ainda fazia seu café de sempre, o tradicional, com seu carinho. Mas era um estorvo ter que atendê-los quase todas as semanas. Pensava em contratar alguém para fazer este trabalho, pois estava acabando com sua concentração. Como fazia Picasso?

Nada falara sobre a tela que pintou na noite em que Thomas partiu para o deserto com Marisol. Esta tela Álvaro nunca mostrou a ninguém. Preferiu destruí-la, primeiro a golpes de machado, o que para alguém com limitações de mobilidade lhe pareceu deveras divertido. Depois queimou tudo no quintal, sob os olhares de Dona Eunice e das duas filhas. Preferiram não perguntar. O pai era mesmo muito esquisito.

Só não ousou perguntar ao francês por que ele teve tanto medo de se envolver com Marisol. Não cabia a ele despertar feridas. Por fim Álvaro relatou que entre os pertences devolvidos pelos gatunos também estava um envelope pardo. Não sei do que se trata, mas prefiro não bisbilhotar nas coisas alheias. Enfim, está entregue! Estaria atrás da tela. De fato, havia um envelope do lado de trás da montagem. Thomas o resgatou do canto no qual estava escorado, e o abriu. Era o envelope que Marisol o havia dado no primeiro dia em que se encontraram em Luanda, ao qual dera pouca importância, que por fim ele nem sequer tivera a chance de abrir e o acabou esquecendo. Agoniado, procurou a mesa.

Esvaziou um copo do vinho da safra, que estaria entre as piores da história do Château K, um verdadeiro Gato de Lúcifer, e fez uma careta que em outros tempos deixaria Max atônito, mas que desde sua volta, era reciprocada com indiferença. Thomas abriu o envelope. Deixou cair o copo ao chão e este partiu-se. Lembrou-se de quando conheceu Marisol, e que não via a hora dela soltar sua taça para poder trazê-la para si. Olhou a sua volta. Não havia mais ninguém ali, somente ele e Max. As sombras eram apenas as das coisas se alongando com o passar do dia, boas sombras, que o protegiam do sol impiedoso que fustigava os vinhedos. Havia somente um pequeno bilhete escrito por Marisol em caligrafia elegante, cheia de curvas, como de uma videira, acompanhado de uma página em branco.

Aqui escreveremos nossa história,
uma nova história a ser escrita a dois.

Era tudo.

Ali estava o último vestígio de Marisol, naquela página em branco. Ali estava a peça que faltava para que, com sua remoção, todo o edifício que Thomas chamara de vida desmoronasse.

Tal qual o santo que animava seu nome, tivera que ver para crer. Alguns se recusam a ver, ou mesmo quando veem se recusam em acreditar. Thomas vira o amor e se recusara a acreditar. Vira a sombra e se recusara a admitir. Afinal, o que Marisol queria dizer não era Decifra-me, ou devoro-me, tampouco, Decifra-me, ou devoras-me e sim, Decifra-te, ou devoras-me, como o imbondeiro havia devorado a flor na tela de Álvaro que ele nunca chegou a ver. Ele a havia decifrado, e não acreditara. Mas o que era pior, não havia se decifrado. Tentou chorar mas não conseguiu. Todos os pensamentos atrozes que teve desde que se encontrou sob os cuidados da tribo que o acolheu no deserto, que fediam, que eram ultrapassados, que deviam juntar-se à civilização; todas aquelas memórias cheias de escárnio sobre a namorada da juventude, a visão irônica da vice-cônsul francesa em Windhoek, aquela espécie de enfado do homem de negócios para com aqueles que pensam o mundo de outra forma; tudo aquilo era uma tentativa de escapar do óbvio; era fuga de si mesmo.

Soubera desde que despertou na choupana fedida que havia sido derrotado, mas se recusara a admitir tudo aquilo. Foram, desde a choupana até momentos atrás, os pensamentos de um homem vencido e humilhado que não queria entregar os pontos, engolir o orgulho junto com aquela água barrenta, que acionou seu mecanismo de defesa para se recusar a aceitar que havia sido vencido afinal pelo medo que tinha dentro de si.

Foi estranho, mas o ruir do seu edifício com a retirada daquela última peça fez Thomas sentir-se muito leve. Cruzou os aposentos da casa, como se os móveis fossem isentos de volume e só as sombras o tivessem. Deitou-se na cama. Finalmente, depois de tanto tempo, pareceu que Max reconheceu seu dono menino e foi juntar-se a ele, deitando ao pé da cama, como há muito não fazia. Recostou a cabeça no travesseiro, e sentiu-se flutuar, como se seu corpo estivesse mais próximo das treliças que compartilhavam a sustentação do telhado com as pedras ao redor.

Thomas via ao longe um grande rio, flutuando sobre a areia incandescente do deserto do Namibe, como aquela fina película de calor que se ergue sobre a superfície quente e embaralha a visão. Era o seu Rhône, ali transplantado. Queria o vento para soprar os aromas de sua terra, para poder mudar a direção da vela. Ali estava o seu rio, à sua frente, todas as suas lágrimas naquele grande corpo d'água que flutuava, e ele tinha que ir ter com elas, pois eram suas, e as haviam roubado. Thomas já se sentia submergir, sendo tragado pela correnteza para o leito do rio, para viver entre as ânforas gregas e romanas, e os barcos dos desafortunados que ali sucumbiram.

Depois disso, ele que um dia havia parado de subir o carvalho branco, que o deixava com o coração de menino em grande alvoroço, e o passara a galgar somente com a mente, resolveu acimar-se àquela árvore com pernas e braços. Seguiu dali de cima com os olhos o verde das folhas de suas videiras, o orvalho brilhando na terra, o Rhône correndo e a chuva no telhado de casa, suave, como o tiritar de um gato.

Apreciava como que pela primeira vez a vegetação de transição que se expressava acima e abaixo do paralelo quarenta e cinco. Via em detalhes a azinheira e o zimbro ao sul, e ao norte, a urze, a giesteira e o freixo. Aquela era uma zona de transição entre o clima do Mediterrâneo e o do norte, entre formas de vida adaptadas a estas diferenças, e sobretudo entre maneiras de se viver.

Então avistou Marisol. Estava feliz, ria muito, mostrava os dentes, brancos e perfeitos. Exalava as melhores notas daquela terra. Sentia a textura de seus cabelos. Cheirava a lavanda. Estavam no vinhedo, com vinhas centenárias de várias cepas distintas, e brincavam de esconder entre as aleias. Max os seguia, e corria de um para o outro, dando saltinhos esporádicos. As uvas estavam carregadas nos cachos e em breve seria o tempo da vindima.

O clima havia estado perfeito. O sol havia sido clemente, e a chuva só viria na estação certa, como fizera durante a maior parte das centenas de anos. Ora a coloração das Grenache refletiam nos olhos dela, ora as Carignan nos dele, e vice-versa. Depois eram as Syrah, e as Mourvèdre, e então as Marselan. Thomas vibrava como uma harpa ao toque das mãos de Marisol. Deitava-lhe bagos de uvas pela boca. Caiam pelo chão xistoso, rolavam, Max os observando um tanto consternado, e esfregavam cachos um no rosto do outro, para depois com beijos sorverem o sumo espalhado. A tarde passava sem que percebessem, até que o esguio traço da lua nova surgiu no céu ainda descolorido. Na terra só havia os dois, e a noite os cobriu feito cobertor, doce, leve, para melhor os ninar.

Thomas sentia o gosto daquelas uvas na boca, misturadas, quase como um vinho, e pensou que este seria o melhor vinho de sua vida. Viu-se no espelho do quarto. Pensou que se parecia cada vez mais com o pai. O nariz crescia, com pelinhos brotando como ervas daninhas. Tinha cara de viticultor. Eis à sua frente o mestre das uvas que sempre havia procurado. Estava dentro de si, porém nunca havia procurado ou acreditado. Foi logo ao encontro de Romain, que movia resoluto seu corpo atarracado como se fosse a um combate de luta greco-romana, e sua primeira ordem foi mandar jogar fora todo o estoque de inseticidas e fertilizantes.

Havia reaprendido a ler, ou melhor, ler com calma, sem atropelar as palavras. Apanhara os livros da mãe na estante e começara a ler, um por um. Racine, Molière, Voltaire, Rousseau, Beaumarchais, Balzac, Stendhal, Maupassant, Flaubert, e principalmente Rabelais, que amava o vinho, e sobretudo o Chinon, sua terra natal. Havia tempo agora, pois havia parado de ler as notícias. Lia o tempo nas nuvens, como fizeram seu pai e seu avô. Comprou um cavalo. Cavalgava até o vilarejo para comprar mantimentos, ou para deixar o valor a pagar num livro, assim como vinham fazendo cada vez mais vinicultores. Como ocorre com todos os recém-convertidos, a fé parecia animá-lo de forma sobre-humana. Iniciou uma cooperativa com os vizinhos, que o acolheram como líder, para pesquisar a idade das vinhas. Descobriram vinhas centenárias, e até mesmo algumas pré-filoxera, misturadas a outras mais jovens em praticamente todos os vinhedos da região. Resolveram fazer um vinho em comunidade, juntando uvas das centenárias de cada uma das propriedades. Convenceu a todos os outros para deixarem de lado os fertilizantes e inseticidas, e usar os métodos dos seus antepassados. Venderam seus carros, como Thomas havia feito, e cada um deles comprou um belo cavalo. O de Thomas, Rocinante, era branco, com patas largas e peludas, iguais às dos cavalos que puxam as carruagens nos contos de fada. Servia-se dele para a lavoura, aposentando o trator de seu pai, em prol do trabalho dos cascos sobre os monturos de esterco e solo dinamizado e enriquecido sob várias preparações com ervas. Era feita a compostagem, com pó de osso, estrume, trevo, centeio e adubo mineral. Composições à base de dente de leão, camomila, urtiga, casca de carvalho, e milefólio eram deitadas por sobre o esterco. Sobre as folhas, preparações de silício e cobre. Plantou batata, milho e banana no vinhedo para enriquecer o solo e pastou ali as vacas e as cabras.

Lia na conjunção dos astros as melhores condições para interagir com o vinhedo. Nos dias fruto Marisol e Thomas dispersavam suas poções de ervas dinamizadas ao redor da propriedade. Nos dias raiz, era mexer nas vinhas. No início do verão, Thomas e Marisol depositavam chifres de vacas cheios de silício para estimular as uvas. Que os brotos se tornassem ramos, e depois botões de flores, e que estas florescessem e fossem fecundadas, para assim transformarem-se em bagas. Que estas bagas crescessem com o sol e com a luz para então encherem-se de açúcar, até a coloração da uva. As uvas amadureciam mais cedo com o método biodinâmico, porém completas. No equinócio de outono era o tempo de esconder no solo chifres de vaca cheios de estrume e ervas, estimulando a vinha a perfurar o solo em busca de nutrientes, tal qual agia a *Welwitschia mirabilis* no deserto. À época da vindima, a colheita era manual. Vinha gente dos arredores para cortar com a podadeira de lâmina curva e a tesoura os cachos carregados de Syrah, Grenache, Mourvèdre, Carignan e Marselan. Iam enchendo os cestos de vime até os esvaziarem nas tinas dos carregadores, que então as levavam até a beira do vinhedo. Era também época de festa entre os viticultores, com longos banquetes iluminados por enormes fogueiras. No inverno, faziam a poda às vinhas, para limitar seu crescimento e assim gerando uma produção menor e mais concentrada, de maior qualidade. As vinhas adormeciam sob o cobertor enriquecido do solo vivo, cheio de matéria orgânica, rica em micróbios.

Assim que a safra se consolidou, com a aprovação unânime dos outros viticultores da região, tratou de enviar uma caixa para seu amigo Álvaro. A resposta veio sem demora.

Meu caro Thomas, estás a tornar-te um viticultor razoável. Em breve começarás a fazer vinhos quase tão bons quanto os da minha terra Vermelha. Quero agradecer-te pelo belíssimo gesto de teres incluído a minha pintura no teu rótulo. Gostaria de tornar isto algo frequente, se não te importas. Se a cada ano me enviares uma caixa deste teu vinho nada desprezível, a cada ano te enviarei um desenho novo para que este possa figurar sempre na tua garrafa, para que a welwitschia atravesse os mares e faça par com as tuas vinhas, que pelo que me contas, também sabem procurar o essencial nas profundezas do solo. In vino veritas, mon cher ami.

Em pouco tempo o vinho começou a ser degustado em feiras regionais, despertando o interesse de críticos e enólogos, cada vez mais habituados a verem vinhos produzidos a partir dos conceitos da biodinâmica atingirem qualidade superior à dos Grand Crus tradicionais. Na concepção de um dos maiores críticos, seu vinho tinha contornos condimentados, um centro robusto, de acidez moderada pela bela estrutura, evocando violetas, e sobretudo, uma flor de aroma único, que recordava, curiosamente, a África. O vinho de Thomas, que numa vida anterior ele quisera comparar aos Bentleys, afinal chegava ao pódio dos grandes vinhos no lombo de seu Rocinante. Em tempo, o vinho já não mais se chamava Château K. Trazia o nome daquela que o havia transformado.

Agradecimento especial aos leitores que fizeram este livro acontecer na plataforma **motoreditorial.org**

Alex Vieira

Alexandre Staut

Benedito Carlos Maluta

Camila Perlingeiro

Carlos Tona

Clara L. M. Vieira

Daniela Carneiro Fuentes

Douglas Maluta

Eloisa Bastos Vieira

Erasmo Calegari Maluta

Felipe Cioffi Maluta

Fernando Guido Okamura

Geraldo Grigolon

Ivan Pedro Maluta

Lucas Medeiros

Luiz Fernando Maluta

Luiz Fernando Maluta Filho

Marcio Souza

Maria Clara Maluta Vieira

Maria Ines Grigolon San Jorge

Moacir Maluta

Monica Pariz Maluta

Patrick Würzler

Raphael Toscano Maluta

Regina Gorec

Regina Helena Benucci

Reinaldo Vieira

Renato Pariz Maluta

Roberta Cavalcanti Pires

Rosely Epsztein

Thais Pariz Maluta

Silvia Chaves

Revisão Daniel Rodrigues Aurélio

A árvore oca : Mauricio Vieira — Rio de Janeiro : Ímã Editorial; Lisboa : Motor Editorial, 2018, 190p; 21 cm.

ISBN 978-85-54946-07-4

1. Romance Brasileiro

CDD B869

Ímã Editorial I Livros de Criação
www.imaeditorial.com